D0519649

POUR UN ÉTAT FORT

DU MÊME AUTEUR
DANS LA MÊME COLLECTION :

Mes chemins pour l'école, Lattès, 2015.

www.editions-jclattes.fr

Alain Juppé

POUR UN ÉTAT FORT

JC Lattès

Maquette de couverture : Atelier Didier Thimonier

ISBN : 978-2-7096-5615-3

Première édition janvier 2016.

Sommaire

Introduction 9

Paroles de citoyens, de policiers, de gendarmes, de magistrats 37

Entretien avec Natacha Polony 91

Résumé des propositions 219

Annexes 235

Introduction

La France est en guerre. N'ayons pas peur du mot. La France est en guerre. Sur son sol, sur plusieurs théâtres d'opérations extérieures, au Proche-Orient ou au Sahel.

Cette guerre, ce n'est pas la France qui l'a voulue. C'est le fanatisme islamique et son incarnation la plus barbare, l'État islamique, Daech, qui nous l'a déclarée. Nous n'avons pas le choix. Il faut la mener et la gagner.

Les attentats sanglants perpétrés en novembre dernier au cœur de Paris ont ébranlé notre Nation tout entière, dans ses profondeurs. La douleur, d'abord, nous a tous étreints. Tant de morts ! Tant de blessés ! Et le traumatisme durable de tous ceux qui ont traversé l'horreur, notamment dans l'enfer du Bataclan. Parmi eux, des jeunes gens, des jeunes filles, venus simplement faire la fête, partager la joie innocente d'un concert, de la musique qui transcende toutes les différences ! Après la douleur, la colère est venue, si naturelle face à l'absurdité. Et puis un sentiment de révolte contre l'injustice.

Très vite, l'esprit de résistance a prévalu et s'est manifesté dans les marches, les rassemblements qui se sont multipliés dans les rues de nos villes.

Je me souviens de la foule rassemblée dans la cour de l'hôtel de ville de Bordeaux, et de notre marche, de la petite mosquée de la rue Jules Guesde à la cathédrale Saint-André en passant par la synagogue de la rue du Grand Rabin Cohen et le temple protestant de la rue du Hâ. Besoin évident d'être ensemble, toutes confessions confondues, croyants et incroyants. Minutes de silence à chaque étape et toujours la *Marseillaise* jaillissant spontanément des poitrines.

Nous n'avons pas oublié les couleurs du drapeau tricolore projetées sur les monuments des grandes villes du monde. Émotion universelle face au défi lancé à des valeurs universelles, celles que la France continue à porter à travers les siècles : liberté – égalité – fraternité. Partagées ou non. Respectées ou bafouées. Mais définitivement attachées à l'idée qu'on se fait partout de la France.

Émotion plus intime face à Paris, blessé, ensanglanté. Bien sûr, il y a eu d'autres attentats terribles qui nous ont bouleversés ailleurs en Europe, à Madrid, à Londres, en Norvège, sur l'île d'Utoya. Mais Paris est une part de rêve, de douceur de vivre, de plaisir, qui appartient à tous, même à ceux qui n'y sont jamais venus. Une façon d'être, de s'asseoir entre jeunes, entre amis, garçons et filles, à la terrasse des cafés, pour bavarder, se rencontrer, refaire le monde et profiter, tout simplement, d'une soirée d'automne qui ressemble à l'été. C'est aussi cela, expression même de notre civilisation, qui a été visé, parce qu'insupportable à la barbarie.

À la terreur, les Français ont répondu par l'affirmation de leur unité. Parce qu'ils ont compris, senti que c'est dans l'unité que se forge la résistance de la Nation.

Ils ont su se hisser au-dessus de toutes les manœuvres de récupération politicienne, de quelque côté qu'elles viennent.

S'ils ont soutenu les institutions de la République et, globalement, les mesures prises par ceux qui en ont la charge, ce n'est pas pour se laisser entraîner dans le piège de je ne sais quel gouvernement d'union nationale. C'est pour donner aux pouvoirs publics du moment, dans l'urgence, les meilleures chances d'efficacité et de réussite pour assurer leur sécurité.

Le moment venu, ils demanderont des comptes avec une exigence à la mesure de la confiance qu'ils ont accordée.

Nous nous battons ensemble contre des assassins qui viennent tuer nos enfants, nos parents, nos amis, des concitoyens inconnus. Ce combat nous devrons nous y engager totalement, sans retenue ni fausse pudeur mais sans concours de démagogie ou de surenchère. Je formule dans cet ouvrage des propositions que je crois indispensables à la sécurité des Français. Nous nous battons aussi contre des barbares qui prétendent anéantir tout ce à quoi nous croyons, les valeurs que nous partageons, le patrimoine dont nous avons hérité, la civilisation dont nous sommes les continuateurs, et qui ont le projet fou de nous imposer ce qu'ils sont en détruisant ce que nous sommes.

D'une certaine manière, ils visent juste. Ils ont perçu nos faiblesses et nos doutes. Ils exploitent les interrogations existentielles qui nous minent : « Où va la France ? Qu'est-elle en train de devenir ? Quelle France allons-nous transmettre à nos enfants ? Ressemblera-t-elle à celle que nous avons reçue de nos parents ? »

Je comprends toutes ces questions. Je constate que, faute de réponses convaincantes, elles nourrissent le pessimisme, le déclinisme, le catastrophisme qui sont devenus le nouveau « politiquement correct » du débat national. Mais je ne m'y résigne pas. Je veux résister à la facilité de l'abandon, au renoncement intellectuel et proclamer ma confiance dans la France et dans tout ce qu'elle représente à mes yeux.

À mon retour du Québec, en 2006, j'ai écrit un livre que j'ai intitulé : *France, mon pays*. Ma famille et moi avons été pleinement heureux pendant l'année passée à Montréal. Nous avons aimé la ville, à la fois animée et tranquille, les paysages du Canada, à perte de vue, et surtout les hommes et les femmes du Québec, simples, bienveillants, pleins de confiance dans leur pays et dans leur avenir. Francophones et pour beaucoup d'entre eux francophiles, mais aussi Américains du Nord.

Comme l'éloignement est propice à l'introspection, je me demandais souvent : « Malgré tout ce que nous avons en commun, en quoi sommes-nous différents ? » Et finalement, je m'interrogeais sur moi-même : « Qui suis-je ? » La réponse est venue spontanée, simple, comme une évidence : je suis français.

J'ai éprouvé le besoin d'aller plus loin. Être français, qu'est-ce que cela signifie, au fond ? Au-delà du passeport, de la carte d'identité.

Le mot est lâché : identité. Il est presque tabou. Certains hésitent à le prononcer, sous prétexte qu'il aurait une connotation conservatrice, voire réactionnaire. J'ai moi-même tiqué lorsqu'il y a quelques années, on a voulu en faire un sujet de clivage politique. Mais c'est un beau concept qui mérite définition. Fernand Braudel, historien respecté dont j'admire l'œuvre, en a fait le thème d'un de ses livres majeurs : *L'identité de la France*.

Ma France, c'est d'abord ma terre. La terre de mes pères. Ma patrie.

Je suis toujours surpris d'entendre des hommes, des femmes qui ont quitté depuis longtemps l'endroit où ils sont nés, où ils ont grandi, l'évoquer avec une émotion intacte. J'ai moi-même confié que mon cœur bat quand je franchis les premières lignes de la forêt de Gascogne qui demeure mon terroir, mon terreau. Le mot de racine n'est pas une image, la racine c'est la source de la vie. Et plus le monde se globalise, plus nous recherchons nos racines.

Les paysages, les odeurs, la senteur des bruyères dans le sous-bois landais, les visages, les trognes bien de chez nous, et surtout la cuisine !

Chaque terroir français a ses recettes, et d'abord ses produits ; le mien est particulièrement riche : cèpes, asperges, foie gras, canard et oie gras et si j'élargis le cercle, jambon de Bayonne, huîtres du bassin d'Arcachon, truffes du Périgord, entrecôte bazadaise... la liste est longue. Celle des vins infinie. Chaque région a la sienne. C'est un durable marqueur d'identité. Il m'arrivait d'en rêver au Québec.

La France, c'est notre patrimoine. Patrie. Patrimoine. Héritage de nos pères. Le patrimoine français est d'une richesse extra-ordinaire.

Notre histoire d'abord, deux fois millénaire, de la Gaule celtique puis gallo-romaine à la Révolution française en passant par la chrétienté et les Lumières. Pardon pour ce raccourci un peu simpliste. Il est essentiel que chaque Français ait en tête les grands repères historiques qui lui rappellent d'où il vient. L'école a le devoir absolu de transmettre ce savoir et cette chronologie. J'ai écrit : chrétienté. Je ne comprends pas bien le débat sur nos racines chrétiennes. Évidemment oui, la France a des racines chrétiennes. Le contester serait faire preuve… tout simplement d'une ignorance crasse. Comment nos enfants – ou les nouveaux arrivants – comprendraient-ils nos villages et leurs clochers, nos villes et leurs cathédrales, nos chemins et leurs calvaires, notre littérature depuis la *Chanson de Roland* jusqu'au *Mystère de la charité de Jeanne d'Arc* de Charles Péguy, les messes et les requiems de nos grands compositeurs, les Annonciations et les Crucifixions de nos grands peintres… et même les œuvres dites impies s'ils n'avaient pas la moindre connaissance de ce que christianisme veut dire ?

Je ne parle pas de catéchisme mais d'histoire. Histoire bien sûr des autres grandes religions, le judaïsme, l'islam, ou des grands courants spirituels qui sont aussi notre patrimoine.

Histoire des idées avec la place centrale qu'y occupent les Lumières et la Révolution française. Il faut enseigner ce que veut dire la devise de notre République : liberté, égalité, fraternité, en la resituant dans son contexte et en montrant sa postérité.

Liberté : combat contre l'absolutisme.

Égalité : combat contre la division de la société française en ordres inégaux, noblesse, clergé, tiers-état.

Fraternité : la fête de la Fédération où la Nation se rassemble avant de se déchirer dans la Terreur.

Pas d'identité sans histoire et sans continuité historique : la devise républicaine n'a pas pris une ride.

Pas d'identité non plus sans géographie.

Comme nous avons besoin de repères dans le temps, il nous faut des repères dans l'espace. L'espace français, d'une prodigieuse variété, est notre richesse collective. Partez de Bordeaux : à 50 km au sud-ouest, vous trouvez le bassin d'Arcachon ; à 120 km au nord-ouest, le vignoble de Cognac, puis La Rochelle, l'île de Ré ; à 150 km à l'est, la Dordogne, la préhistoire, les châteaux. Cap au sud : c'est ma forêt landaise, les plages de l'Atlantique, le pays Basque, les Pyrénées...

On peut en dire autant à partir de tous les points du territoire. Pas étonnant que notre pays soit la première destination touristique au monde ! L'espace français, c'est aussi l'outre-mer, sur tous les continents : les Antilles, la Guyane, la Réunion et Mayotte, la Polynésie française, la Nouvelle-Calédonie, Wallis-et-Futuna. Ce qui fait de nous la deuxième puissance maritime.

Au cœur de notre identité, je mets notre langue. La belle langue française dont nous devrions être plus amoureux. Nous la maltraitons quotidiennement. Je m'insurge, en vain, contre le snobisme du « franglais » qui sévit dans la publicité et dans les médias. Il faut être bilingue, trilingue... cela va de soi. Et notre système scolaire n'est pas très performant dans l'enseignement des langues étrangères. Mais c'est un signe de faiblesse que de truffer son langage de mots ou d'expressions anglaises qui font « chic » alors que leur équivalent français est parfaitement disponible. Pourquoi se complaire dans le « top-down » et le « bottom-up » alors que « de haut en bas » et « de bas en haut » sonnent clair ?

Les exemples sont légion.

Heureusement, notre littérature, nos grands auteurs conservent un rayonnement exceptionnel... jusqu'en Chine. Lors d'un premier entretien politique – j'en ai fait l'expérience – il n'est pas rare qu'un dirigeant chinois cite Victor Hugo ou Émile Zola.

Nos propres territoires revendiquent fièrement leurs écrivains célèbres. Bordeaux se présente comme la ville des 3 M, Montaigne, Montesquieu, Mauriac. C'est plus qu'une vitrine. C'est un esprit, un caractère.

Que de moments de bonheur nous procure la lecture de tant de chefs-d'œuvre nés à travers les siècles, y compris le nôtre bien sûr ! Il faut donner à tout prix à nos enfants la chance inestimable de les découvrir, de les partager. C'est l'une des missions de l'école. Ai-je besoin d'ajouter que pour bien enseigner et posséder la langue française, il faut en connaître la matrice : le latin ? Sacrifier l'apprentissage des langues anciennes et des humanités au collège et au lycée, c'est céder à la facilité ; c'est aggraver l'inégalité des chances ; c'est affaiblir le lien de culture qui fait l'unité de la Nation.

Car c'est autour de la langue française que les « hussards noirs » de la IIIe République ont contribué à édifier un nouveau « vivre ensemble ». Ils le firent parfois… « à la hussarde » précisément, c'est-à-dire en interdisant l'usage des langues régionales. Aujourd'hui, l'amour de la langue française ne nous apparaît plus comme incompatible avec l'attachement à ces langues qu'il faut enseigner pour les garder vivantes. Mais « la langue de la République est le français », comme le proclame l'article 2 de notre constitution. Tous les actes officiels de la vie républicaine doivent donc continuer à être rédigés en français, et en français seulement.

On le voit : pour la France, identité ne signifie pas uniformité. Notre pays est fort de sa diversité qui s'est construite dans le temps long et continue de s'enrichir au fil des ans.

Le défi qui nous est lancé n'est pas de nier cette réalité, ni d'effacer cette diversité en imposant une prétendue assimilation (« acte de rendre semblable ») qui obligerait chacun à oublier ses origines.

Nous ne sommes pas tous pareils et, paradoxalement, le monde moderne, tout en se globalisant, développe, en chacun de nous, le besoin de racines. On me faisait remarquer, en Amérique du Nord, qu'au XIXe siècle, quand Irlandais ou Siciliens arrivaient en masse aux États-Unis, il leur fallait des jours pour échanger du courrier avec leur famille ou des semaines pour revenir au pays. Aujourd'hui, avec Skype, les Latinos sont quotidiennement au contact de leurs proches restés au Mexique ou ailleurs. Tel est le monde moderne : global et multiple.

Comment « gérer » cette diversité pour qu'elle ne soit pas source d'anxiété et de rejet ? Car la peur de l'autre est source de tensions et, comme toute peur, de souffrances. Au point que l'identité devient malheureuse...

Première condition, à mes yeux : refuser clairement le communautarisme, c'est-à-dire une organisation de la Nation en communautés repliées sur elles-mêmes, sur leurs pratiques, leur religion, et même leur langue. Au Canada, j'ai vu que ce risque n'était pas théorique. C'est, pour moi, le contraire du modèle français d'intégration.

Deuxième condition : s'assurer que, dans leur diversité, les Français partagent tous un bien commun. Différents certes, mais unis par un fort sentiment d'appartenance à la même Nation.

Quel est ce bien commun à partager ?

J'insiste à nouveau sur la langue, la connaissance et la pratique de la langue française sans lesquelles il n'existe pas de compréhension authentique. Car la langue, c'est plus que des mots, c'est une structure de pensée.

Le bien commun des Français, c'est ensuite le socle des valeurs de la République qui créent le sentiment d'appartenance nationale.

Ces valeurs, nous les connaissons : la devise républicaine « Liberté-Égalité-Fraternité » les résume de manière toujours actuelle. Il faut y ajouter la Déclaration des droits de l'homme et du citoyen, la démocratie – c'est-à-dire le gouvernement du peuple, pour le peuple et par le peuple – et la laïcité.

L'article 2 de notre Constitution met de la chair dans ces concepts :

« L'emblème national est le drapeau tricolore, bleu, blanc, rouge. L'hymne national est la *Marseillaise* ».

Il faut, en effet, donner une dimension affective à l'appartenance à la Nation française. Il ne s'agit pas seulement d'avoir « des papiers ». Il s'agit d'aimer son pays, sa patrie.

La montée des nationalismes en Europe et dans le monde fait peur, à juste titre. Nous savons, par expérience historique, que « le nationalisme, c'est la guerre ». Parce que le nationalisme, c'est la peur qui engendre le rejet, voire la haine de l'autre. Je crois, de toutes mes forces, qu'il faut distinguer nationalisme et patriotisme.

Le sentiment patriotique est nourri par la confiance en soi et dans les autres, aux antipodes de la peur et de la haine. Le patriotisme authentique, qui est synonyme de générosité, doit être l'âme de ce que j'ai appelé « l'identité heureuse » de la France.

Contribuer à sa renaissance est un objectif auquel je ne renoncerai jamais.

*

En France, c'est autour de l'État que s'est forgée la Nation. Un État fort. Nos voisins européens n'ont pas tous suivi le même chemin : l'unité allemande, l'unité italienne n'ont été édifiées qu'au XIXe siècle. Garibaldi, Bismarck...

Chez nous, l'affirmation de l'État va de pair avec celle du pouvoir royal qui, en élargissant patiemment son domaine, donne naissance à la France moderne. De Philippe Auguste à Louis XIV. Mais ceci n'est pas un cours d'histoire... L'Histoire nous permet seulement de comprendre pourquoi en France, l'État pèse un tel poids. Pourquoi nous écrivons son nom avec un E majuscule.

Les Français font par exemple la différence entre l'homme politique et l'homme d'État. Ils ont pour le second une considération qu'ils n'accordent pas au premier. Quand ils reconnaissent – rarement – à un homme politique la qualité d'homme d'État, c'est d'abord qu'ils l'estiment capable d'exercer les plus hautes responsabilités... dans l'État. Mais c'est aussi qu'ils lui prêtent une hauteur de vue qui le met au-dessus de la mêlée politicienne, des querelles partisanes, des calculs personnels et de la démagogie.

L'homme d'État fait passer l'intérêt général avant tout. Il est au service du bien commun.

Il y a quelque paradoxe dans cette révérence portée à l'homme d'État. L'important dans le titre, c'est évidemment le mot d'État. Or, les Français ont pour l'État des sentiments ambivalents.

D'un côté, ils l'aiment en majesté ! Ils associent son nom à l'adjectif régalien, du latin *regalis*, royal. L'État est, par définition, souverain, c'est-à-dire selon la formule de Max Weber « qu'il revendique le monopole de l'usage légitime de la force physique sur un territoire donné ». Les citoyens attendent donc beaucoup de l'État, à commencer par la garantie de leur sécurité et de leurs libertés.

Mais, d'un autre côté, l'État est souvent vilipendé. On l'accuse d'impuissance dans les domaines où il est pourtant le seul à avoir la compétence et les moyens d'agir. Son déclin semble inéluctable devant la montée d'autres pouvoirs qui lui seraient supérieurs : les marchés, les entreprises multinationales, les organisations internationales, les ONG… La mondialisation sonnerait le glas de l'État-nation et de ses frontières.

Ce qui n'empêche pas nos concitoyens – critique inverse – d'accuser leur État d'en faire trop, de multiplier les normes et les contraintes, d'étouffer les forces vives de la Nation dans un carcan législatif et réglementaire qui les paralyse.

Ces reproches sont particulièrement vifs en France, État centralisé qui s'est construit sur l'effacement des particularismes provinciaux. La décentralisation apparaît, à juste titre, comme l'un des remèdes au mal français.

La contradiction entre ces deux attitudes vis-à-vis de l'État est en réalité superficielle. Nous rêvons tous d'un État agile qui se débarrasserait des pesanteurs bureaucratiques pour se concentrer efficacement sur ses fonctions régaliennes. La formule a longtemps eu du succès : plutôt qu'un État gérant, un État garant et stratège. Un État protecteur des libertés publiques plutôt qu'une technocratie liberticide, éloignée des réalités du terrain. C'est ce défi qu'il faut relever

Il est temps d'actualiser notre conception de l'État et de lui redonner son efficacité. Chaque grande période de reconstruction de notre pays a commencé par une modernisation de notre appareil d'État : sous le consulat avec Bonaparte qui tire les leçons de la Révolution française ; à la Libération autour du programme social et économique du Conseil national de la Résistance d'où sortira notre modèle de protection sociale ; en 1958 avec le général de Gaulle qui dote la France d'institutions modernes.

L'ambivalence française traduit surtout le caractère inactuel de notre État. Les Français, malgré leur attachement viscéral à leur État, ne le comprennent tout simplement plus. Comment en sommes-nous arrivés là ?

En refusant d'abord de voir que le monde avait changé, que la matrice intellectuelle qui avait accompagné le développement de l'État ne correspondait plus aux défis du temps présent. En renonçant ensuite, trop souvent, à conduire jusqu'à leur terme les réformes qui permettaient d'enclencher un salvateur mouvement d'adaptation.

Tout au long de mes rencontres avec les Français, depuis de nombreux mois, j'entends monter un double appel : *rendez la liberté à ceux qui veulent travailler, entreprendre, créer* ; mais aussi *exercez l'autorité qui seule peut rétablir la confiance dans les institutions de la République.*

Je me fixe comme ambition de réconcilier les Français avec leur État, autour d'une conviction simple : notre État-Nation a de l'avenir, à condition d'engager un ensemble de réformes cohérentes et résolues.

Cet ensemble de réformes doit suivre deux axes. Le premier concerne l'État-Providence : il faut organiser la transition d'une logique d'assistanat à une logique de responsabilité. Le second concerne la reconstruction de l'ordre républicain : l'autorité de l'État est la garantie de la sécurité des Français et de leurs libertés ; aujourd'hui cette autorité fait défaut.

*

Avant d'apporter mes réponses aux attentes des Français, je voudrais, en cet instant crucial de ma vie, m'expliquer sur ma relation personnelle avec l'État. Pourquoi et comment ai-je choisi de consacrer l'essentiel de ma vie professionnelle à son service ?

J'essaie de me remettre dans la peau du lycéen montois que j'étais à quinze ans. Si je me souviens bien, je n'avais pas encore d'idée précise sur mon orientation professionnelle. S'exerçait sur moi la pression du milieu familial. Je n'ai pas été élevé dans la culture d'entreprise. Mon père dirigeait l'exploitation agricole familiale. Mais ni lui ni personne ne m'incitait à prendre la relève. Le rêve de ma mère, c'était que je « fasse médecine ». À ses yeux, c'était la voie royale de l'ascension sociale. Elle m'imaginait dans l'uniforme d'un Navalais ou dans la blouse blanche d'un « patron » du CHU de la capitale d'Aquitaine. Mes camarades les plus brillants se préparaient à prendre cette voie.

Le temps passait. L'échéance du bac approchait. Il fallait bien penser à la suite. Le professeur qui avait sur moi le plus d'influence me mit entre les mains une brochure sur l'ENA, les épreuves du concours d'entrée, sa scolarité, ses débouchés. Elle était rébarbative. Je la feuilletai sans passion. Mais la graine était semée. On me conseilla, pour parfaire ma culture générale, d'entrer en hypokhâgne. Ce furent deux années de bonheur (hypokhâgne et khâgne) au lycée Louis-le-Grand à Paris. De fil en aiguille, je me retrouvai rue d'Ulm, sur le chemin de l'agrégation de lettres classiques. Moment décisif. J'hésitais. J'étais tombé amoureux fou de la Grèce, à l'occasion d'un voyage d'étudiants : le Parthénon, Delphes, les Îles, la mer Égée, la lumière méditerranéenne… Je lorgnais vers l'École française d'Athènes où j'aurais pu décrocher un poste de chercheur. Archéologue !

Mais la graine de l'ENA avait germé. Après l'agreg, je préparai le concours à Sciences-Po, section service public. Les dés étaient jetés.

Avec le temps, m'arrive-t-il de regretter le choix que j'ai fait ? Le hasard qui m'a conduit dans les équipes de Jacques Chirac et la suite qu'on connaît ?

Ma vie politique, l'expérience du pouvoir qu'elle m'a donné la chance de connaître m'ont comblé.

J'avais le goût de la « chose publique » – *res publica* – c'est-à-dire des questions d'intérêt général, nationales et internationales, et celui de la joute politique avec, sans trop savoir ce que cela signifiait, l'attirance pour le pouvoir. J'ai connu des succès, j'ai connu des échecs. Des fidélités et des trahisons. Ce que j'ai aimé par-dessus tout, c'est l'action. Sous des formes très différentes. Agir à Matignon où, à chaque heure, il faut décider. Dès ma prise de fonction, en 1995, j'ai été confronté à la violence terroriste. Huit attentats à la bombe entre juillet et octobre 1995. Je me souviens de la station Saint-Michel du RER B, l'effroi, huit morts.

L'idée s'est répandue que les grèves massives de décembre 1995 avaient paralysé l'action de mon gouvernement. En fait, j'ai reculé sur une réforme et une seule : celle des régimes spéciaux de retraite... qui n'est toujours pas faite.

Mais j'ai mené à bien toutes les autres : sauvetage de l'assurance-maladie, professionnalisation des armées, transformation de France Telecom d'administration en entreprise, création du prêt à taux zéro pour faciliter l'accession sociale à la propriété, zones franches urbaines, etc., sans oublier la préparation de l'entrée de la France dans la zone euro.

Agir au Quai d'Orsay où l'action se confond souvent avec le verbe... mais pas toujours, par exemple au moment de l'ultimatum qui a desserré l'encerclement de Sarajevo, ou, devant l'inertie de la communauté internationale incapable d'arrêter le génocide au Rwanda, le lancement de l'opération Turquoise qui a sauvé tant de vies.

Agir en tant qu'élu local, d'abord dans le XVIIIe arrondissement de Paris, à la Goutte d'or comme sur la place du Tertre ; à Bordeaux bien sûr dont la renaissance est la plus grande joie, le meilleur accomplissement qui m'ait été donné. C'est là que le verbe « faire » a pris pour moi tout son sens.

Mais le pouvoir, c'est aussi, c'est peut-être surtout la relation aux autres, avec ce que cela implique parfois de spectacle – j'aime parler à la foule – mais aussi d'authenticité, de dévouement, d'enthousiasme. Au début, quand je lisais des articles sur ma « froideur », cela me faisait de la peine. Aujourd'hui, cela me fait sourire car je sais ce que je ressens, ce que je reçois et ce que je donne.

*

Plus que jamais, j'ai envie de me mettre au service de mon pays, tout simplement parce que j'aime la France et que je ne me résigne pas à la voir glisser sur la mauvaise pente. Parce que je sais qu'elle a tous les atouts pour rebondir.

Je veux un État fort, ce qui ne signifie pas pour autant un État centralisateur qui concentre toutes les responsabilités et impose son carcan à la société civile.

Il faut continuer à rebattre les cartes entre l'État central dont j'ai dit tout le poids hérité de l'histoire, et les territoires qui composent la Nation.

Je suis naturellement girondin. Je mesure combien est fructueuse la proximité entre les citoyens et ceux qu'ils ont choisis pour conduire les affaires de la cité. Nous, élus locaux, gardons la confiance de nos compatriotes parce que nous sommes des « faiseurs » et non pas des « diseurs ». C'est aussi au niveau local qu'il est plus facile d'animer, au quotidien, la concertation, la participation à la décision que demande le citoyen moderne.

Il faut donc poursuivre le mouvement de décentralisation engagé depuis les années 80 mais qui vient d'être brouillé par une réforme cafouilleuse. Il n'était pas nécessaire de demander aux préfets de procéder à un nouveau découpage des communautés de communes qui venaient d'être redessinées il y a quelques années à peine. Il n'était pas utile de créer d'immenses régions, telle l'Aquitaine + Poitou-Charentes + Limousin au risque d'éloigner du terrain les centres de décision et, par conséquence, de devoir maintenir un double niveau d'administration départemental et régional qui sera inévitablement coûteux sur le court-moyen terme. Le tout dans un contexte de sanctions budgétaires brutales et excessives infligées à l'ensemble des collectivités locales.

Pourra-t-on remettre les compteurs à zéro en 2017 ? Les nouveaux conseillers départementaux et régionaux seront en début de mandat et ne pourront être renvoyés chez eux. Et nos élus, nos maires qui sont la colonne vertébrale de la République, aspireront avant tout à la stabilité et à la visibilité.

Je compte donc leur proposer un contrat de confiance avec l'État, qui reposera sur quelques principes clairs :

- Bannir les transferts de charges de l'État vers les collectivités locales qui ne soient pas strictement et durablement compensés.
- Inciter à poursuivre la mutualisation des moyens, seule source d'économies d'échelle à terme, par

exemple la création de « communes nouvelles » par rapprochement de communes existantes.
- Reconnaître aux collectivités locales le droit à l'expérimentation, à la diversité, au volontariat, car le même cadre rigide imposé d'en haut ne convient pas à tous les territoires. Je donne deux exemples : les délégations de compétence entre collectivités devraient être assouplies, à commencer par les transports scolaires ; la réforme des rythmes scolaires devrait pouvoir être annulée quand elle n'a pas contribué à la réussite des enfants.

Un État fort est renforcé par une décentralisation intelligente qui lui permet de se concentrer sur ses tâches prioritaires. Mais un État décentralisé n'est pas un État fédéralisé. La tentation existe chez certains présidents de région. Pour moi, conformément à l'article 1er de notre constitution, « la République est indivisible, laïque, démocratique et sociale ». La remise en cause de ce principe ne ferait qu'ajouter au trouble identitaire qui mine la Nation.

Je veux un État fort dont les institutions fonctionnent efficacement. C'est le cas des institutions de la Ve République. Elles viennent d'en apporter une nouvelle fois la démonstration. C'est une manie française que de vouloir modifier notre constitution à tout bout de champ, voire de changer de

République. On n'observe ce phénomène dans aucune grande démocratie autour de nous.

Partout, en revanche, on assiste à une personnalisation du pouvoir. L'élection du président de la République au suffrage universel direct est, de ce point de vue, un acquis auquel tiennent les Français. Le quinquennat, renouvelable une seule fois, est un temps démocratique qui correspond bien à l'exigence d'un retour régulier devant les électeurs.

Le chef de l'État doit évidemment assumer sa fonction avec la dignité et la hauteur de vue qui conviennent à sa responsabilité historique de rassembleur de la Nation. À ce titre et dans l'exercice quotidien du pouvoir, il doit créer des liens de confiance avec nos forces armées, avec les forces de sécurité intérieure qui risquent leur vie pour la protection de leurs concitoyens mais aussi avec l'ensemble des fonctionnaires de l'État trop souvent caricaturés ou dénigrés par ceux-là même qui ont la charge de les conduire.

Quant au gouvernement, il dispose des outils de ce que les auteurs de la constitution de 1958 appelaient le « parlementarisme rationalisé ». Il doit s'en servir à bon escient.

Dans l'esprit gaulliste qui rejoint l'esprit du temps, il faut aussi chercher à rapprocher gouvernants et gouvernés dans l'exercice du pouvoir. Le référendum en donne le moyen. Il nous faudra inventer de nouveaux mécanismes de démocratie au quotidien, qui fonctionnent bien au niveau local mais qui sont plus complexes à mettre en œuvre au niveau national. Les applications numériques peuvent y concourir.

Dans l'équilibre des pouvoirs, le Parlement qui fait la loi le plus souvent sur proposition du Gouvernement devrait s'attacher à moins en faire. Selon la belle maxime de Montesquieu : « Quand il n'est pas nécessaire de faire une loi, il est nécessaire de ne pas en faire. » Ce qui devrait permettre à nos Assemblées de se concentrer sur le contrôle de l'action gouvernementale qui est au cœur de leur mission.

Je veux enfin améliorer la qualité du travail gouvernemental en remédiant à l'instabilité ministérielle qui s'est aggravée dans la période récente. Combien de ministres de l'Éducation nationale dénombre-t-on depuis cinq ans ? 4 !

C'est une erreur d'avoir supprimé la règle voulue par le général de Gaulle selon laquelle un ministre qui quitte ses fonctions ne retrouve pas automatiquement son siège de parlementaire mais doit, s'il le veut et si son suppléant l'accepte, se représenter devant ses électeurs. Je veillerai aussi à ce que les ministres dirigent réellement leur administration, non point par l'intermédiaire de cabinets de plus en plus pléthoriques mais en relation personnelle avec les directeurs d'administration centrale.

Les institutions n'ont d'autre raison d'être que de permettre la bonne marche des politiques publiques.

Je veux un État fort, un État capable de se fixer des priorités claires, de mettre en œuvre les décisions annoncées et de s'attirer la confiance des citoyens.

Je n'aborderai pas, dans les pages qui suivent, l'ensemble des politiques publiques dont l'État doit être l'artisan. Assurer la défense du territoire et des intérêts de la Nation, redonner envie d'Europe, créer les conditions d'un redémarrage économique et social, favorable à l'emploi, autant de missions essentielles dont je traiterai un peu plus tard.

Je voudrais, dans ces pages, me concentrer sur les deux garanties fondamentales qu'un État fort doit offrir à ses citoyens pour leur redonner la confiance et le bonheur de vivre ensemble :

- protection d'abord contre l'insécurité intérieure, contre la menace terroriste, mais aussi contre la « petite » délinquance et la grande criminalité;
- intégration ensuite contre les ferments de division et la fragilisation de la cohésion nationale.

Mes propositions porteront donc sur :

- la guerre contre le terrorisme ;
- la politique pénale, la justice, les forces de sécurité, police et gendarmerie ;
- la régulation des flux migratoires dans leurs différentes composantes ;
- le respect de la laïcité.

Comme dans mon livre sur l'école, je donnerai d'abord la parole aux acteurs du terrain qui nous ont fait part de leurs préoccupations et de leurs attentes. Au terme de l'entretien que Natacha Polony a bien voulu avoir avec moi, je formaliserai un ensemble de propositions précises, cohérentes et ambitieuses sur lesquelles je m'engagerai.

*

Un mot encore sur une question qui m'est souvent posée : « Bon ! votre diagnostic nous semble juste. Vos propositions nous conviennent. Mais tout ce que vous proposez aujourd'hui, pourquoi ne l'avez-vous pas fait hier ? Et qu'est-ce qui nous garantit que vous le ferez demain ? »

Je comprends ces interrogations et cette défiance. Je m'efforce d'y répondre.

Sur le passé est-il bien nécessaire de s'attarder, qu'il soit lointain ou proche ? Je souhaite seulement dissiper une confusion trop fréquente : il n'est pas exact que la droite et la gauche, c'est tout pareil ! Avant 2012, les gouvernements de droite qui se sont succédé, et les derniers en date, ceux de François Fillon sous l'autorité du président Sarkozy, ont fait de bonnes réformes que leurs successeurs se sont, hélas !, empressés de supprimer.

Quelques exemples : les heures supplémentaires défiscalisées ; la journée de carence dans la fonction publique ; la création du conseiller territorial qui préparait le rapprochement entre les départements et les régions ; ou encore la TVA compétitivité-emploi votée trop tardivement il est vrai.

Mais peu importe la querelle sur les bilans ! Ce qui compte, c'est l'avenir.

Au-delà des propositions « techniques », c'est le retour de la confiance qui importe. Nous vivons aujourd'hui dans une France de la défiance. Défiance des gouvernés envers les gouvernants, des catégories sociales entre elles, de tous envers l'autre, des Français envers l'Europe, et même envers l'avenir. Je noircis à peine le tableau.

Mon ambition est grande : je veux recréer une France de la confiance. Or la confiance ne se décrète pas. Elle se construit et s'incarne. Comment vais-je m'y prendre ?

D'abord j'annoncerai la couleur sans provocation mais sans timidité ; je dirai aux Français la vérité, ma vérité, et je leur demanderai mandat pour réaliser une liste de réformes précises.

Ensuite, je serai prêt, avec mes équipes, à passer à l'action rapidement avec des mesures à court terme que je qualifierai de « déclics de confiance » et des programmes de changement structurel sur la durée. Sur la durée d'un mandat puisque tel sera mon horizon.

La confiance ne marche que si elle est réciproque. Je demanderai leur confiance aux Français. Mais je leur donnerai aussi la mienne.

Oui, j'ai confiance dans le bon sens des Français qui comprennent qu'on ne peut pas continuer comme si de rien n'était, au fil de l'eau, parce que, faute de changements profonds, nous allons dans le mur.

Oui, j'ai confiance dans la générosité des Français qui, contrairement à une idée toute faite, ne sont pas repliés dans l'égoïsme et l'individualisme, mais sont capables de générosité et de fraternité.

J'ai confiance dans l'esprit d'entreprise des Français, dans leur capacité d'innovation et de création, dans leur qualité au travail qui fait souvent merveille.

Faisons-nous confiance et nous ferons ensemble de grandes et belles choses.

Paroles de citoyens, de policiers, de gendarmes, de magistrats…

Si notre État a de nombreux atouts, il a aussi des fragilités. C'est pourquoi j'ai souhaité lancer en juillet dernier une vaste consultation permettant aux Français de témoigner de leur rapport à l'État, de raconter leur quotidien, leurs expériences. Parmi les thèmes abordés, figuraient la sécurité, l'immigration, le fonctionnement des services publics, la laïcité et la justice.

Plus de 1 000 personnes ont répondu. Pour l'essentiel, il s'agit de simples citoyens. Les professionnels de la justice et de la sécurité se sont un peu moins exprimés, peut-être en raison des fortes contraintes qui pèsent sur eux. Ceci étant, ceux qui l'ont fait nous ont offert de précieux témoignages décrivant les conditions d'exercice de leur métier, leurs déceptions, leurs espoirs et enfin, très souvent, leurs propositions.

Pour un État fort

I. La sécurité

Les citoyens estiment que leur droit à la sécurité n'est plus parfaitement garanti par l'État. L'insécurité, loin de n'être qu'un sentiment, est une réalité. Ainsi le nombre de crimes et de délits en matière d'atteintes volontaires à l'intégrité physique des personnes a augmenté de 1,29 % sur un an en zone police et de 3,2 % en zone gendarmerie. Le nombre de cambriolages a progressé de 7 % tant en zone police qu'en zone gendarmerie pour atteindre 390 000 faits en 2013. Les atteintes aux biens (crimes et délits) ont progressé de 2,7 % en zone police et de 3,9 % en zone gendarmerie.

« Un sentiment d'impunité, une autorité bafouée par les délinquants. »

> « Pas suffisamment de répression envers les délinquants », « Insuffisance des moyens pour lutter contre les agressions, les fraudes, les infractions, les incivilités ». « L'État laisse les voyous faire la loi sur notre territoire ».

Ce constat est partagé par les policiers et les gendarmes. Un officier de police d'un service de police judiciaire de la préfecture de police de Paris relève :

« Le principal problème rencontré est l'existence de zones de non-droit qui empêchent la police de faire son travail au quotidien. Cela paraît incroyable qu'au XXIe siècle, les policiers ne puissent pas pénétrer dans une cité pour mettre fin à un trafic de stupéfiants existant. La police a les moyens et l'envie de travailler. Mais le manque de soutien politique (et un certain manque de courage politique) et hiérarchique, le manque de protection du policier dans l'exercice de son travail (légitime défense…) dissuadent les fonctionnaires d'intervenir dans ces zones difficiles. S'ils le font, il n'y a pas la sécurité requise. »

Un cadre de la gendarmerie nuance l'idée d'une délinquance concentrée dans les quartiers urbains difficiles : « Il ne faut pas croire que les stupéfiants ne sont présents que dans les planques urbaines. Les zones rurales sont aussi de plus en plus des lieux de consommation et de trafic. »

Le témoignage d'un adjoint au maire chargé de la sécurité et de la tranquillité publique dans une ville de plus de 100 000 habitants va dans le même sens :

« Le fléau des stupéfiants, terreau de la délinquance, se développe, y compris dans les centre-villes. La renaissance des transports en commun, notamment des tramways, a eu pour effet secondaire de rapprocher les lieux de deal de leur clientèle. Nos concitoyens, peu au fait des compétences des différentes polices, nous pressent d'agir. Ils nous le disent à longueur de réunions publiques. C'est sur nous, élus locaux, que tombe le verdict démocratique de l'efficacité ou de l'inefficacité. »

Je rencontre fréquemment des habitants de ma ville qui se plaignent d'incivilités, de dégradations ou d'agressions, qui sont commises dans leur quartier ou dans leur hall d'immeuble. Pire, les zones de non-application du droit s'étendent progressivement. Ainsi, le « deal » quotidien progresse jusqu'aux trottoirs de nos collèges et de nos lycées.

Les policiers et gendarmes mettent tout en œuvre pour lutter contre le trafic de stupéfiants et permettent le démantèlement de nombreux réseaux mafieux. Toutefois, l'usage de stupéfiants n'est pratiquement pas réprimé : certains policiers renoncent même à contrôler un « petit » dealer. Pourquoi ? Parce que la procédure qu'ils doivent mettre en œuvre est très lourde et n'est jamais menée à son terme. Cette situation nourrit un sentiment d'impunité. Sur cette question, il faut réfléchir aux moyens les plus efficaces pour faire cesser ces activités qui facilitent la banalisation du cannabis.

L'existence de zones de non-droit choque de nombreux participants à la consultation. Une majorité de Français qui habitent dans des quartiers sensibles vivent cette réalité au quotidien. L'action des forces de l'ordre y est jugée peu ou pas efficace du tout par 51 % des habitants (contre 24 % dans les autres territoires urbains ou zones rurales selon l'INSEE). Les pouvoirs publics ont privilégié une présence rassurante dans les centres-villes au détriment des quartiers moins fréquentés et périphériques.

Cette situation est inacceptable et remet en cause les fondements mêmes de l'État et de notre contrat social. L'urgence, c'est de réinvestir ces territoires pour ne pas laisser des bandes de délinquants s'approprier l'espace public. Nous ne pouvons pas baisser les bras. Je veux reconquérir ces quartiers pour assurer la première des libertés, la sécurité.

« La police est à l'image de la société, avec ses attentes, mais aussi ses désillusions »

Certaines contributions révèlent un véritable désenchantement d'une partie des forces de l'ordre.

Un chef de service déplore : « Aucun signal positif n'est adressé à l'institution, malgré un engagement sans précédent de ses personnels depuis l'élévation du plan “Vigipirate” du début du mois de janvier. »

Un officier de police d'une direction spécialisée du ministère de l'Intérieur nous livre ses réflexions :

> « La police est à l'image de la société, avec ses attentes, mais aussi ses désillusions. L'institution connaît ainsi des périodes de bonheur où elle se sent en osmose avec la population et des moments moins réjouissants où ses représentants ont l'impression d'être désavoués, voire conspués.

> Tel est le sort invariable au fil des années des forces de l'ordre qui, pour autant, continuent avec la même disponibilité et abnégation à veiller à la sécurité des biens et des personnes, à la protection du plus faible contre la violence et l'injustice, bref à la préservation de la paix publique par le respect mutuel du bien "vivre ensemble" ou, selon une formule ancienne mais non moins parlante, "faire société". »

C'est l'une des leçons qu'il faut tirer du bilan positif de Nicolas Sarkozy lorsqu'il était le ministre de l'Intérieur de Jacques Chirac : il est nécessaire d'apporter un soutien constant aux forces de l'ordre et de leur témoigner notre reconnaissance pour leur engagement au service de nos concitoyens.

« Le sentiment d'être le seul rempart de la société car les commissariats sont ouverts de jour comme de nuit »

Un brigadier major en charge de la sécurité publique exerçant en province souligne l'extension continue du champ d'intervention des forces de l'ordre :

> « Nous intervenons de plus en plus souvent hors du champ pénal. La population est en souffrance. Les différends familiaux et les fugues de mineurs concentrent nos missions. Les gens n'ont plus de repères et règlent leurs différends par la violence. Mes collègues ont de plus en plus le sentiment d'être le seul rempart de la société car

les commissariats sont ouverts de jour comme de nuit, ainsi qu'en fin de semaine et jours fériés. »

Un gardien de la paix confirme :

« Sur le terrain, le policier se sent abandonné par sa propre hiérarchie qui lui donne de plus en plus de tâches qui ne lui semblent pas ressortir de ses compétences (médiations sociales...) et en plus sans que les moyens matériels nécessaires suivent. La police donne donc souvent l'impression d'être dépassée par l'ampleur des difficultés qui gangrènent la société et qui semblent résulter d'une crise globale de l'autorité sous toutes ses formes. »

Certains sont désespérés comme ce chef de service : « Nous comptons pour rien. Je ne regrette qu'une chose, ne pas avoir les annuités requises pour quitter ce navire qui prend l'eau depuis des années et me consacrer à des activités plus enrichissantes », conclut-il.

Une commissaire de police s'exclame :

« Je voulais tout faire dans la police ! Je le veux toujours d'ailleurs. Seulement, le système verrouille le mode de fonctionnement. Voilà, j'aime toujours autant mon métier parce que j'y croise des gens formidables, que mon quotidien est hors norme et jamais monotone et que j'espère en un système qui permette d'arriver à répondre aux attentes de mes concitoyens. Mais je ne sais plus comment faire pour l'exercer avec bon sens et efficacité. (...) L'institution est à bout de souffle et ce n'est pas le recrutement de jeunes au profil énarque qui va résoudre notre problème. Au contraire ! »

Un autre pointe aussi du doigt le manque de reconnaissance : « Peu de décorations sont décernées aux policiers de terrain du corps d'encadrement et d'application de leur vivant. Un policier doit-il attendre de mourir pour se voir féliciter et décorer à titre posthume de la Légion d'honneur (policier héroïque au comportement digne, à la carrière exemplaire...) ? »

Non, il faudrait que le courage et le mérite soient reconnus et récompensés systématiquement.

« Le mot police a été retiré de toutes les unités. Devrions-nous à ce point avoir honte de ce que nous sommes ? »

« Si on regarde l'organigramme d'un commissariat, on constate qu'hors le bureau de police et la police administrative, le mot police a été retiré de toutes les unités. Le policier voit le mot sécurité de proximité (même pas police de proximité...) à toutes les sauces. Il n'est pas policier mais fonctionnaire de police (si juridiquement c'est exact, qu'en penser psychologiquement ?). Ses plus grands chefs ne sont pas des policiers mais des préfets contrairement aux gendarmes, ce qui vu le profil des commissaires de police actuellement recrutés ne devrait bientôt plus faire beaucoup de différence. Devrions-nous à ce point avoir honte de ce que nous sommes ? Et moi, là-dedans, en tant que commissaire de police, qui suis-je ? Moi, je tiens à ce qualificatif de policier qui me différencie des autres corps de la fonction publique. J'y tiens et j'en suis fière et c'est pour cela que je suis si sensible à la situation de mes collègues de tout grade. Comment pourrait-on les diriger si on n'aime pas ça, dans toutes ses composantes, sécurité publique, ordre public, police judiciaire et renseignement ? »

Mon ambition, c'est de permettre par mon action à ces professionnels de recouvrer le courage et la conviction nécessaires à l'exercice de leur mission et de récompenser l'exemplarité et l'engagement des policiers et gendarmes.

« La police souffre d'une hyper-centralisation et d'une hyper-planification : tout doit être décidé au plus haut niveau. Je suis pieds et poings liés »

Un commissaire de police souligne l'absence d'autonomie des commissaires, contraints d'appliquer sans adapter des directives fixées par Paris :

« Comme le disait un sociologue de la police, cette dernière souffre d'une hyper-centralisation et d'une hyper-planification : tout doit être décidé au plus haut niveau. Je n'ai donc aucun budget, même faible, alors que je ne suis pas sûr que je le gérerais plus mal que ceux qui en sont actuellement en charge. Je dois appliquer des plannings de contrôles routiers décidés bien plus haut que moi alors qu'en bonne police, on devrait seulement donner comme objectif un nombre de contrôles au chef de brigade et le laisser décider des implantations en fonction des disponibilités de son unité, de la météo et des autres événements en cours sur son ressort géographique. À lui ensuite de justifier auprès de moi de la pertinence de ses choix. »

Ce commissaire poursuit :

« Je m'étonne encore que ce soit le ministre de l'Intérieur via ses préfets et non ma direction qui m'ait expliqué comment lutter contre les cambriolages, notamment comment utiliser la police technique et scientifique, il y a de cela quelques années. À croire que tout le monde sait faire de la police sauf ses chefs ! Lorsque je le compare à d'autres systèmes anglo-saxons, il semblerait qu'on puisse résumer nos faiblesses dans ce manque de confiance des politiques (...) Pour répondre de ses résultats, encore faut-il avoir le choix des moyens engagés. Pourtant, je suis pieds et poings liés. »

Les administrations centrales ont encore trop souvent le réflexe des instructions. Trop nombreuses, elles perturbent le fonctionnement des services. Ainsi en 2011, la Cour des comptes a recensé pas moins de 48 actions « prioritaires » reçues par les directions départementales de la sécurité publique. Ce n'est pas une fatalité ! Comme l'indique la Cour : « Ce n'est pas autant le cas pour les commandants de région de gendarmerie. Ils bénéficient d'une déconcentration des pouvoirs de gestion sensiblement plus importante. En particulier, lors de la définition des objectifs annuels de la gendarmerie départementale, la relation entre les résultats attendus et l'évolution des moyens sont mises en avant, ce qui n'est pas le cas dans la police. »

Limiter le nombre de priorités et déconcentrer davantage la gestion dans la police constituent les deux principales pistes pour lutter contre « l'hyper-centralisation ».

Ce manque de subsidiarité, cet éloignement des réalités de terrain vident le travail des forces de l'ordre de leur substance et, plus grave, de leur sens. Comment rester investi lorsque les priorités du terrain ne se reflètent pas dans les plans d'action sur la base desquels on est évalué par sa hiérarchie ?

« Il faudrait que Paris accepte l'idée de libérer les énergies locales »

Un cadre de la sécurité publique en province insiste sur les faibles marges de manœuvre laissées aux professionnels de terrain :

> « Ce que le public ignore souvent est que nous sommes contraints et souvent étouffés par les instructions permanentes de la direction centrale. Même le port de la tenue d'hiver ou d'été est géré par Paris. Cette pratique nous empêche de coller à la réalité du secteur que nous administrons et constitue un frein à la mise en avant de nos potentialités. Les unités de roulement (nom donné aux brigades) en place dans les commissariats fonctionnent en un unique modèle. Cependant les territoires sont diffé-

rents économiquement, socialement et géographiquement. Il faudrait que Paris accepte l'idée de libérer les énergies locales. Un partenariat éclairé associant les élus, au cœur du dispositif et de son résultat et placé sous l'autorité du préfet constitue une approche audacieuse. En termes de management, les chefs de service seront directement impliqués dans cette stratégie. Ils en tireront les fruits et en assumeront aussi les échecs. »

Ce témoignage, comme celui qui précède et les nombreux autres reçus, vont dans le même sens. Une demande identique y est formulée : la responsabilisation accrue de l'encadrement présent sur le terrain. Cette demande s'accompagne du souhait de vouloir être jugé sur des actions concrètes, décidées localement. Qui connaît mieux le terrain que ceux qui l'arpentent tous les jours et sont au contact des citoyens, des victimes et des délinquants ?

La lourdeur des procédures

Une commissaire de police décrit son quotidien :

« Parlons des outils… On voudrait empêcher le policier de travailler qu'on ne s'y prendrait pas autrement… En matière judiciaire, la procédure est lourde et chronophage. On craint plus d'oublier "le mot magique" que d'aller au fond du dossier. C'est de l'abattage, ni plus ni moins, peu efficace, ne répondant en rien à l'attente de nos concitoyens. » « Pour une heure et demie d'interrogatoire et deux heures de confrontation, on garde quelqu'un 24 heures voire 48 heures en garde à vue. Ou bien, le voyou est dehors avec une convocation pour un jour peut-être avant même que le procès-verbal d'interpellation ne soit terminé. » Un officier de la gendarmerie s'exclame : « Les OQTF (obligations de quitter le territoire français), c'est l'horreur. C'est complètement inadapté, la procédure demeure tellement compliquée. Il y a un nombre d'échecs impressionnant. Les procédures sont très souvent plantées car il y a des délais dans tous les sens. ».

« Un quotidien qui nous désoriente et ne répond aucunement à l'attente des victimes »

Un officier de police judiciaire au service investigation en région parisienne constate avec une certaine amertume :

> « Le manque d'effectifs de notre unité aboutit à un retard annuel de près de deux cents dossiers par fonctionnaire. Le délai de prescription fait que beaucoup d'affaires conduisant à des enquêtes lourdes et complexes sont laissées de côté au profit du traitement immédiat de certains dossiers de moindre sensibilité. Ce quotidien nous désoriente et ne répond aucunement à l'attente des victimes. Le curseur s'est déplacé au fil des années vers un formalisme au profit du mis en cause et non au service de la victime dont la préservation des intérêts est notre raison d'être. »

En 2009, les heures passées dans les locaux de police ont représenté, en moyenne, 61 % du temps disponible dont presque un tiers de ce temps dédié aux activités administratives et judiciaires. Simplifier les procédures est un axe prioritaire pour remettre les forces de l'ordre sur le terrain.

Les contraintes pesant sur la gestion des ressources humaines

Un chef de service qui a le sens de la formule résume un diagnostic largement partagé :

> « Cette police devient un corps bien malade avec de petites jambes (les services territoriaux) et une grosse tête (les services centraux à effectifs pléthoriques). Il en résulte des demandes toujours plus urgentes et plus volumineuses sur des tas de domaines. Par exemple, lorsqu'on quitte une circonscription de la DSPAP (Direction de la sécurité de proximité de l'agglomération parisienne), on doit à présent renseigner un dossier de 20 pages… »

Il est clair que la Révision générale des politiques publiques (RGPP) s'est avant tout traduite par une atrophie des services territoriaux ; les services centraux ont conservé des effectifs qui ne semblent aujourd'hui plus en adéquation avec le volume de leurs missions. Un redéploiement des effectifs vers le terrain apparaît donc absolument nécessaire.

Un chef de service relève : « Les effectifs des services territoriaux baissent de manière régulière dans la plus parfaite indifférence. Dans notre circonscription, nous étions 81 le 1er septembre 2013. Le 31 juillet 2015, nous étions 68 avec des missions toujours orientées à la hausse et des impératifs fixés unilatéralement par l'échelon central pour les résultats. »

Les directeurs départementaux se plaignent également de manquer de liberté en matière de gestion de leurs effectifs. Ils n'ont en effet presque aucun pouvoir pour décider du service d'affectation des fonctionnaires nommés dans leur département (hormis les gardiens sortis des écoles de formation). Les possibilités de redéploiement au sein du service sont quasiment inexistantes.

Un policier témoigne :

> « Le manque d'effectif est une réalité : on ne peut pas travailler avec une Police Secours équipée avec un ADS (Adjoint de sécurité) et un titulaire tout en sachant qu'on ne peut pas laisser le véhicule seul (exemple parmi tant d'autres), surtout sur des communes fortes en délinquance. Il faut stopper cette chute d'effectif car de moins en moins de policiers est nuisible au bon fonctionnement de notre travail, nous voulons des moyens pour travailler tout simplement. »

Élu en 2012, François Hollande avait affirmé que la sécurité était l'une des priorités de son action.

Le résultat est catastrophique : il a balayé dix ans de travail.

Initié dès la loi du 29 juillet 2002 d'orientation et de programmation pour la sécurité intérieure (la LOPSI 1), l'effort en faveur des moyens budgétaires de la police et de la gendarmerie a été prolongé par la loi du 14 mars 2011 d'orientation et de programmation pour la performance de la sécurité intérieure (la LOPSSI 2). Depuis, François Hollande a constamment raboté les moyens.

En 2015, des créations de postes sont certes prévues : 243 emplois pour la police et 162 pour la gendarmerie, soit au total 405 emplois à temps plein. Toutefois cette politique de création d'emplois conduite depuis 2012 est systématiquement mise en défaut. Des écarts croissants sont observés chaque année entre les prévisions et les recrutements. Cet écart représentait 1,8 % des emplois dans la gendarmerie en 2013. La première conséquence de ce décalage entre les annonces et la réalité sur le terrain, c'est l'existence de brigades incomplètes et placées en difficulté pour assurer leurs missions.

Mais la solution ne peut se résumer à une hausse rapide et non maîtrisée des effectifs. Comme l'indique un gradé de la sécurité publique, « il faut éviter un recrutement de masse de policiers et privilégier un recrutement régulier, constant, qualitatif, ce qui va permettre une meilleure formation ». J'ajoute aussi une meilleure sélection à l'entrée aussi car il ne faut pas baisser les exigences de recrutement.

Ma position est donc simple : recruter de façon maîtrisée lorsque cela est incontournable, redéployer les policiers et gendarmes des bureaux vers le terrain en simplifiant les procédures, en supprimant les doublons administratifs en administration centrale et en professionnalisant les « fonctions support », c'est-à-dire la gestion du personnel, la gestion immobilière et les finances notamment. Là encore des marges de manœuvre importantes existent puisque le taux d'occupation de la voie publique, c'est-à-dire le pourcentage de policiers occupés par des activités de voie publique (sécurité publique et circulation), s'élevait selon la Cour des comptes en 2009 à seulement 5,5 % dans l'ensemble des directions départementales de la sécurité publique. Sans même recruter, ces mesures de redéploiement pourraient permettre de remettre 4500 policiers et gendarmes sur le terrain.

Un cadre de la police nationale ajoute :

> « Le pouvoir disciplinaire m'échappe mais aussi celui de la récompense, notamment depuis qu'il est impossible d'offrir 50 € à un policier pour une belle affaire. Je suis farouchement pour la prime au mérite mais lorsqu'on m'en donne un nombre fixe, avec deux montants différents sans justification, et que je dois la donner à une unité entière sauf rares exceptions, alors on s'arrache les cheveux et de vrais fainéants la reçoivent. »

Nul ne l'ignore, les modalités de répartition de la prime au mérite sont contestées dans la police, notamment par les syndicats qui défendent une répartition uniforme de cette prime. Attribuer à tous une prime au mérite, c'est priver cette prime de tout sens. Rappelons que la prime au mérite comporte deux volets : une partie qui est fixe et tient compte de la difficulté du poste occupé et une partie variable en fonction d'objectifs atteints. À mes yeux, il faut maintenir cette prime au mérite : elle constitue un instrument de motivation efficace mais aussi un outil utile pour favoriser le suivi des objectifs donnés à l'ensemble des personnels, du chef de service au gardien de la paix et enfin une récompense des efforts fournis par les fonctionnaires pour accomplir leurs missions. Au-delà de la légitime récompense, c'est un aiguillon pour la qualité du service public. Il m'apparaît normal de tenir compte dans la rémunération de la qualité du service rendu à la collectivité. Il serait regrettable de s'en priver.

Des moyens matériels insuffisants

Cette préoccupation liée aux moyens humains mais aussi matériels est également présente chez les gendarmes comme l'atteste ce compte rendu très synthétique et très parlant qui est presque un rapport d'intervention :

« On nous a bien fait comprendre que nous devons faire plus avec beaucoup moins de moyens. Les exemples sont hallucinants : patrouilles raccourcies car manque d'essence, ordinateurs vieillissants, casernes en très mauvais état, manque de considération de la hiérarchie pour les familles des gendarmes vivant dans ces dernières (logements insalubres !), etc. Tout cela s'effectue alors que nous voyons de nos yeux des "responsables" femmes et hommes n'avoir aucun frein sur leurs besoins professionnels. Ce qu'il manque à ces personnes, c'est la réalité du terrain, et peu importe leurs fonctions, civiles ou militaires. »

Un sous-officier de gendarmerie dans une unité mobile en région parisienne rompt le silence :

« Nous manquons cruellement d'effectifs pour assurer nos missions dans de parfaites conditions de sécurité. Nous devenons corvéables et perdons tout sens de motivation. Notre statut nous contraint pourtant à ne pas exprimer cette réalité. Les policiers ont des syndicats qui disposent de moyens de pression sur la hiérarchie. Ce n'est pas notre cas. Seule une association exprime nos difficultés, ainsi que nos attentes sociales et familiales. Nous attendons d'être reconnus par notre hiérarchie et par la population. Nous attendons pour beaucoup d'entre nous une alternative à notre statut et un renforcement de nos moyens logistiques et de nos effectifs en particulier pour couvrir les territoires. »

Il convient d'arrêter de faire de l'investissement la variable d'ajustement de la politique budgétaire dans le domaine de la police et de la gendarmerie.

Cette pratique à courte vue met en péril le fonctionnement même de nos forces de sécurité. Il ne sert à rien d'augmenter les effectifs si ces derniers ne peuvent plus sortir faute de véhicules en état, par exemple. À cet égard, le parc automobile de la police et de la gendarmerie (près de 60 000 véhicules) vieillit sans que son renouvellement ne soit assuré en fonction des besoins. Le seul entretien courant est estimé à environ 180 millions d'euros. De même, le maintien en l'état des casernes et des commissariats n'est plus financé. À La Rochelle par exemple, des algeco ont été installés dans la cour intérieure du commissariat pour permettre aux agents de se mettre en tenue. Ce n'est pas acceptable !

La réflexion sur les moyens mis à disposition des forces de l'ordre pour assurer la sécurité doit être relancée. Qu'il s'agisse de l'utilisation du taser ou plus généralement des équipements prévus pour les policiers municipaux, il apparaît de plus en plus nettement que les moyens des professionnels de la sécurité ne sont plus adaptés aux armes de plus en plus lourdes, voire parfois aux armes de guerre, que peuvent se procurer avec une facilité inquiétante les délinquants et trafiquants de stupéfiants. Assurer la sécurité, c'est d'abord garantir la sécurité de ceux qui la défendent tous les jours.

Un officier de la PJ parisienne conclut :

> « Au niveau interne, beaucoup de collègues sont démoralisés, et perdus dans ce quotidien. Ils paient de leur

santé et de leur équilibre familial cette évolution. Parmi les solutions, il convient de replacer en premier lieu la victime au centre des investigations policières et des priorités des magistrats. Nous demandons les moyens de servir la population. »

La police et la gendarmerie font face depuis trop longtemps à un sous-investissement et à une importante baisse de leurs moyens de fonctionnement. L'immobilier est souvent vétuste. Le parc automobile est de plus en plus vieillissant, alors même que la mobilité est un enjeu essentiel. L'extrême technicité de la législation et l'alourdissement procédural ont rendu notre système d'enquête beaucoup trop lourd. La charge incombant aux enquêteurs et donc le temps qu'ils consacrent à rédiger des procédures au détriment de leur présence sur la voie publique n'ont fait qu'augmenter. Au cours d'une garde à vue, un policier passe à présent entre un tiers et la moitié de son temps à ne s'occuper que des règles procédurales, et ce pour des affaires de moyenne importance, car cette proportion est plus défavorable encore lorsqu'il s'agit d'une affaire simple.

Est-ce là la mission des forces de l'ordre ? Je ne le crois pas. Il faut recentrer leur action sur leur cœur de métier, les enquêtes, le maintien de l'ordre public. Les priorités pour y parvenir sont la simplification des procédures et une informatisation efficace – c'est-à-dire pensée pour les utilisateurs quotidiens et pas pour la centrale parisienne – qui soient source de gains de productivité, ce qui n'a pas été le cas jusqu'à présent. Il existe dans ce domaine des marges de manœuvre importantes : la police nationale utilise plus de 3 000 applications différentes (nationales comme locales), suscitant pour chacune des besoins d'hébergement, de maintenance et d'évolution coûteux.

« Vous courez derrière un voyou qui se blesse, c'est votre faute ! »

Un agent observe :

> « Une légitime défense qui nécessiterait de pouvoir réfléchir de longues minutes quand on ne dispose que de quelques secondes, des médias qui sont prompts à parler de bavure mais sont absents lors des verdicts innocentant les policiers de nombreuses années après, une population qui va le plus souvent se mettre entre le policier et le voyou que du côté du policier... Vous courez derrière un voyou qui se blesse, c'est votre faute : pourquoi lui avoir couru après ?!? Au premier accrochage, le policier est présumé en tort tant par la population que par sa propre administration. Je ne parle même pas de l'incapacité des Français à faire ce qu'un policier leur demande sans questionner, critiquer, refuser en permanence. »

Un autre policier confirme les lacunes du cadre juridique de la légitime défense :

« L'encadrement de la légitime défense diffère toujours entre police et gendarmerie. Étant policier je constate malheureusement une plus grande difficulté pour nous à prouver notre plein droit dans l'exercice de nos fonctions, dès qu'il s'agit de légitime défense. » Un gradé de la sécurité publique rejoint ce constat : « Un policier est toujours au départ "présumé coupable" lorsqu'il fait usage de son arme même lorsqu'il y a légitime défense. Il faut revoir la législation. » Un autre policier propose : « Pendant la mise en place du "plan Vigipirate attentat", associer une légitime défense spécifique et modulable en fonction de la menace. Par exemple : après sommation, possibilité (en cas de refus d'obtempérer) de neutraliser le ou les individus porteur d'une arme visible dans la main (usage de l'arme administrative sans qu'il y ait menace envers soi-même ou autrui) sans motif légitime. »

Donner aux forces de l'ordre les moyens d'agir pour assurer la sécurité en redéfinissant la légitime défense apparaît à la fois utile et nécessaire dans le nouveau contexte de multiplication des actes terroristes.

Renforcer l'autorité et la légitimité des forces de l'ordre et mieux associer les citoyens

Une commissaire de police raconte :

« Les gens se plaignent de la rudesse des policiers et ils n'ont pas toujours tort. Mais tout est fait pour que ces relations se passent mal. Les policiers ont un uniforme qui les décrédibilise, sont en sous-effectifs, n'ont pas le temps de faire du sport ni de s'entraîner aux gestes professionnels ou au tir et ne disposent pas de l'équipement adéquat. Revenons sur l'allure du policier français... En tête, le couvre-chef. Une casquette donnant l'air abruti au plus intelligent des hommes. Pourquoi s'obstiner à porter un couvre-chef ? Ne pourrait-on pas plutôt généraliser le calot ? Il a le mérite d'être globalement seyant, d'afficher le grade de son porteur et de faire d'ores et déjà partie du vestiaire police. Je ne comprends toujours pas pourquoi nous ne sommes pas passés au polo comme les gendarmes, et au col roulé en hiver pour éviter les écharpes dangereuses sur les interventions. Le blouson ? Pas mieux ! En hiver, il ne protège pas le cou du froid ; en été, il n'y a pas de fermeture éclair pour contourner l'arme, il remonte et fait une bosse au niveau du ventre, aussi svelte soyez-vous. Les chaussures sont d'un tel poids qu'elles empêchent toute course à pied. Il faut dire que cette peur de faire trop martial de ceux qui déterminent les uniformes à grands coûts permet surtout d'être ridicule et inefficace... À cet uniforme, ajoutez l'absence d'obligation de faire du sport et de test d'aptitude physique en dehors des unités spécialisées. On peut sortir dans les premiers de l'école de gardien de la paix sans arriver à monter un mur de corde, du moment qu'on est bien scolaire et qu'on sait rédiger un timbre-amende. »

L'essor de la police municipale, une force complémentaire qui ne doit pas conduire au désengagement de l'État

Depuis une douzaine d'années, les polices municipales sont plus nombreuses. Les maires se sont efforcés de répondre à la demande de leur population. En 2010, les effectifs des polices municipales atteignaient 19400 agents contre 14300 en janvier 2002, soit une augmentation de 35 %. Dans les zones de compétence de la police nationale, les polices municipales représentent environ un quart des agents de sécurité présents. Sur ce point, je voudrais clarifier les choses. La première mission de l'État, c'est la sécurité. Dans un État fort, il ne saurait être question que l'État se décharge sans le dire de sa mission de proximité pour la transférer aux polices municipales. Je suis favorable à leur développement mais clairement hostile à un désengagement de la police nationale. La police municipale n'est pas une force de substitution, subordonnée à la police nationale.

Refuser le désengagement de l'État en matière de sécurité de proximité est d'autant plus nécessaire que la répartition des effectifs de la police municipale varie très fortement d'une commune à l'autre. Ainsi, la présence des policiers municipaux est très différenciée entre les zones les plus urbanisées et les espaces ruraux. 80 % des polices municipales ont moins de cinq agents !

Seulement 30 % des polices municipales sont implantées dans les communes situées en zone de compétence de la police nationale, mais elles y concentrent près de 60 % des effectifs de policiers municipaux. Il y a donc deux cas de figure : d'un côté, des villes moyennes et grandes dotées de polices municipales pouvant atteindre plus d'une centaine d'agents et, de l'autre, une large majorité de petites communes ne comptant que quelques policiers municipaux. Dans ce domaine, comme dans d'autres, nous ne pouvons creuser cette fracture sécuritaire !

Les professionnels de la sécurité avancent des propositions concrètes pour mieux assurer l'ordre public.

> « La police municipale reste malgré tout le "parent pauvre" de la sécurité et il serait peut-être intéressant de repenser son organisation et son fonctionnement. Dans ce sens, quelques actions pourraient être mises en place comme l'harmonisation entre les trois forces de sécurité (police municipale, nationale et gendarmerie), des critères d'intégration et de formation des nouveaux agents. À cet effet, un socle de formation commun aux trois forces de sécurité serait mis en place et dispensé selon les mêmes méthodes. Des formations particulières pourraient ensuite compléter ce dispositif, afin de faire face aux spécificités de chaque service. Ensuite, il serait judicieux de faire évoluer les prérogatives des policiers municipaux [et de leur permettre] d'exercer une mission de police judiciaire, comme par exemple rédiger des procès-verbaux. Ils gagneraient ainsi en autonomie. Enfin, il faut repenser les règles d'attribution

et de détention des armes (létales ou non létales) au sein des polices municipales, afin de crédibiliser les agents qui en seraient dotés. »

Ces idées sont intéressantes et je ne doute pas que de nombreux maires s'en sont déjà saisis pour renforcer la professionnalisation de leur police municipale.

Le nombre de policiers municipaux dotés d'armes est très variable d'une région à l'autre. Rappelons-le : les municipalités sont libres de définir l'étendue des missions confiées à leur police municipale. Cela semble logique car les polices municipales ne sont pas confrontées aux mêmes formes et niveaux de délinquance et d'incivilités, selon qu'il s'agisse de communes touristiques, de villes moyennes de province, de centres urbains importants ou des quartiers périphériques. À partir du moment où un maire choisit d'y avoir recours, y compris la nuit par exemple, il paraît essentiel d'assurer la sécurité de ces policiers, de plus en plus engagés dans des zones dangereuses.

Un adjoint à la sécurité nous livre un témoignage très complet du rôle de la police municipale et de sa complémentarité avec les autres professionnels de la sécurité :

« Notre police municipale se doit d'abord d'être présente sur le terrain, dans les quartiers, sur la voie publique, au contact des habitants, des commerçants, des associations, des bailleurs... Même s'ils savent que leur police municipale (PM) ne détient pas toutes les réponses et ne dispose pas des mêmes moyens juridiques et opérationnels que la police nationale (PN), nos concitoyens reconnaissent nos efforts car nous sommes à leurs côtés. Cette proximité (6 postes de quartier de 20 000 habitants chacun), qui seule permet une connaissance intime de la ville, est à mon sens la marque de fabrique et la plus-value d'une PM. La PN est en effet aujourd'hui dans l'incapacité d'assurer une telle présence. Faute de moyens, et sans doute aussi par goût, elle se concentre sur l'ordre public, les interpellations, le judiciaire et les "grosses" affaires. »

En effet, lorsque des conventions existent entre les policiers municipaux et les autres professionnels de la sécurité, une complémentarité des forces est possible pour une sécurité accrue. J'inciterai les élus à signer ces conventions qui permettent de mieux articuler le travail de tous les policiers, municipaux ou nationaux.

Comme le montre ce témoignage, les maires sont libres de choisir quelle police municipale ils souhaitent pour leur ville :

« Nous entendons bien dans notre ville utiliser tous les pouvoirs de police du maire au travers d'une doctrine d'emploi volontariste. Nos policiers municipaux ne sont pas des garde-champêtres et leurs missions ne se limitent pas à surveiller la sortie des écoles ou à verbaliser les poubelles. Ces tâches de proximité doivent être assumées mais elles ne sauraient résumer à elles seules toute l'étendue des prérogatives de police que le maire entend bien exercer à travers sa police. Notre PM réalise 650/700 interpellations par an. Appuyés par 170 caméras de vidéoprotection, nous sommes présents 24 heures sur 24 et toutes nos unités d'intervention sont canines (22 chiens). Ces chiffres sont l'expression du volontarisme politique du maire qui a permis la plus forte baisse de la délinquance de proximité pour une grande ville depuis 2001 (– 70 %). »

Effectivement, de tels chiffres sont très impressionnants et démontrent que collectivement nous ne sommes pas impuissants.

« Cette réussite, qui est un combat de tous les jours, s'appuie sur des liens forts avec la PN. Si les PM et la PN ne travaillent pas étroitement ensemble, elles perdent en efficacité et la délinquance se glisse dans ces interstices administratifs. Il me semble donc essentiel de renforcer encore la coopération de terrain : opérations communes, interopérabilité des réseaux de communication (en cours), échanges de personnels... Cela est d'autant plus vrai que nous sommes confrontés à des problématiques qui appellent des réponses nouvelles. Ce qui nous pose problème aujourd'hui, ce sont les deux bouts de la chaîne de la délinquance : les "incivilités" d'une part, les stupéfiants d'autre part. »

Je partage le constat qui est ici établi et à mes yeux, la lutte contre ces deux fléaux voit son efficacité renforcée lorsque la police municipale prête main forte aux autres professionnels de la sécurité.

Un maire ajoute :

« À l'autre bout de la chaîne, le fléau des stupéfiants, terreau de la délinquance, se développe, y compris dans les centre-villes. Là encore, l'action d'une police municipale, même volontariste, reste limitée. Ses pouvoirs d'enquête sont très réduits et ses uniformes la rendent inopérante dans bien des situations. Il en résulte un sentiment d'impuissance, renforcé par l'interpellation croissante de nos concitoyens sur cette problématique. Il existe en effet un fort décalage entre ce que voit le citoyen (dealers de rue, installés durablement à certains endroits) et ce que font les services spécialisés (enquêtes longues, discrètes, aux résultats peu visibles sur la voie publique). En matière de stupéfiants, la publicité est l'ennemi de l'efficacité. Or, le maire a besoin autant de la seconde que de la première. De nouveaux modes d'action seraient donc nécessaires, comme la possibilité d'agir en civil pour les policiers municipaux (une ville peut faire assermenter des fonctionnaires en civil en matière de propreté par exemple mais, n'ayant pas la qualité de policiers, ils n'ont pas l'autorité suffisante pour s'imposer dans la rue). »

Pourquoi ne pas permettre à des policiers municipaux d'agir en civil si cela permet à leur action d'être plus efficace ? En l'occurrence, cela me semble très pertinent concernant les stupéfiants.

Ce maire poursuit :

« Un second type d'incivilité recense des comportements manifestant l'apparition d'un contre-modèle de société qui allie affirmation communautaire, revanche sociale et provocation. Les rodéos, les mariages exubérants, l'occupation de l'espace public en bande ou encore les interpellations sexistes croissantes du type "vas-y, fais pas ta pute, donne-moi ton 06 !" obéissent à cette seconde logique. Pour juguler les rodéos, il faut intervenir en grand nombre et avec beaucoup de discernement pour limiter les risques d'embrasement d'un quartier. Or, le dimanche, jour de sortie des pocket bikes et autres quads, il y a (beaucoup) moins d'effectifs… Pas beaucoup plus simple pour lutter contre les regroupements ou les propos dégradants à l'endroit des femmes… Les réponses opérationnelles manquent et l'impuissance publique à juguler ces comportements provocateurs alimente les réactions extrêmes. »

Plusieurs pistes de travail : la verbalisation systématique des troubles à l'ordre public et le rappel à la loi à chaque fois que des comportements déviants sont constatés. Face aux rodéos, la « tolérance zéro » ! L'espace public doit rester libre d'accès pour tous. En matière d'incivilités, il est hors de question de relâcher la vigilance.

Un élu local dessine des pistes pour une police municipale plus efficace :

« Sans être formellement compétentes en matière de stupéfiants, les polices municipales sont condamnées à agir, au risque d'accentuer encore le désengagement de l'État. Nous sommes par exemple contraints de mener, très régulièrement, de véritables "guerres de position" pour reprendre des micro-territoires que se sont appropriés des dealers. Cette stratégie du "dérangement" consiste tout simplement à occuper la rue en lieu et place de ceux qui prétendent se l'accaparer par l'intimidation. La manœuvre est chronophage, éphémère et ne fait que repousser le problème mais présente le mérite de la visibilité et de l'immédiateté. Il faut aller au-delà et aider les services enquêteurs, qui manquent cruellement de moyens. C'est ainsi que nous allons jusqu'à mettre à leur disposition des (micro) caméras ; nous effectuons pour eux des repérages dans les quartiers, voire nous "balisons" pour eux des "cibles"... Cette coopération est indispensable, mais doit rester discrète. Si le maire veut valoriser son action dans ce domaine régalien, il doit innover quitte, peut-être, à choquer : par exemple, qu'est-ce qui s'opposerait à ce qu'une PM se dote d'un chien de recherche en stupéfiants ? La question est iconoclaste et peut déranger, mais elle n'est pas dénuée d'intérêt. Quoi qu'il en soit, nous sommes attendus sur le terrain de l'action. Nos concitoyens ne nous en voudront (peut-être) pas d'échouer ; ils nous en voudraient (sûrement) de ne pas avoir essayé. »

De ces témoignages, je retiens plusieurs orientations : repenser la relation de proximité entre les forces de l'ordre et les citoyens, mieux répartir les compétences pour renforcer l'efficacité de l'action des forces de l'ordre, coordonner les professionnels de la sécurité entre eux et redéployer les moyens humains pour occuper le terrain.

Les nouvelles technologies constituent aussi une piste intéressante : le déploiement de logiciels de cartographie et de géolocalisation devrait permettre, à moyens constants, de mieux employer les forces de l'ordre, là où les citoyens ont besoin d'elles. Ces technologies ont fait leur preuve dans certains pays. Nous devons combler notre retard en la matière.

Les citoyens ne sont pas dupes : « Les dirigeants politiques votent des lois pour donner l'illusion de régler le problème. » Un gradé de la sécurité publique ajoute : « Il y a beaucoup de paroles, beaucoup de promesses de la part de la hiérarchie, mais très peu de répercussion sur le terrain. » Ayons le courage de le dire : ce n'est pas l'adoption de nouvelles lois, aussi répressives soient-elles, qui changera la donne. Les sanctions existent mais elles sont trop rarement et trop tardivement prononcées. À mes yeux, la sécurité est un investissement de long terme. Une loi de programmation par mandat suffit. Ce n'est pas la loi, c'est la présence des forces de l'ordre sur le terrain pour la faire appliquer qui compte en matière de sécurité. La surveillance, la prévention, mais surtout la réaction rapide sont au cœur d'une action sanctionnée non par des statistiques mais par des résultats.

L'État ne doit pas donner l'impression d'être impuissant ! Il faut redonner de la lisibilité et de la crédibilité à l'action de l'État, dans ce domaine qui touche la population au plus près.

2. Justice

La plupart des témoignages sont critiques vis-à-vis du système judiciaire : lent, peu efficace et laxiste. Hormis les flagrants délits, peu de plaintes ou de procédures aboutissent en moins de six mois. En dépit de réels progrès, les taux d'élucidation demeurent inférieurs à 50 %. Quant à l'exécution des peines, le bilan n'est guère plus satisfaisant : près de la moitié des sanctions pénales consistent en des alternatives aux poursuites qui n'imposent aucune peine. Cette situation, ce sont d'abord les magistrats qui la subissent et la sévérité du constat ne m'empêche pas de réaffirmer ici la confiance que je leur porte.

La réponse de la justice est donc jugée insuffisante et incohérente par nos concitoyens. Ce constat est à l'origine d'une incompréhension croissante : « Laxisme face à la délinquance sous toutes ses formes. À quand une tolérance zéro comme à New York sous Giuliani ? », demande un citoyen. « Aucune cohérence entre le système répressif et le système judiciaire. La police ou la gendarmerie arrête des délinquants – la justice les relâche ou inflige des peines qui ne sont pas exécutées ! », s'indigne un autre. « Incapacité de faire respecter les lois et de faire effectuer les peines de prison intégralement », critique encore un autre.

De façon récurrente, il est fait le constat d'« un système judiciaire qui manque de moyens », de

« prisons qui sont pleines à craquer, alors que le sentiment d'insécurité n'a jamais été aussi grand ». « LA LENTEUR JUDICIAIRE » exaspère.

Du côté des professionnels, une demande s'impose comme une évidence : mettre fin au fardeau législatif qui les écrase et rend l'exercice de leurs missions quotidiennes plus pénible et plus complexe.

« Il faut cesser de légiférer. »

Les magistrats qui ont répondu à cette consultation proposent la fin de l'inflation législative qui touche la justice depuis plusieurs décennies. « Les conditions de travail se sont beaucoup dégradées en raison notamment de l'empilement de textes qui nous obligent à intervenir de plus en plus », déplore un magistrat. Un autre magistrat confirme ce constat : « Chaque nouveau Garde des sceaux veut faire sa réforme. Donc, les textes changent tout le temps, ce qui est facteur d'insécurité juridique ». Un magistrat dresse le constat d'une complexification croissante des procédures : « La grande tendance des nouveaux textes depuis plusieurs années, c'est une complexité croissante. Il faudrait enfin des textes qui simplifient les procédures. »

« Les magistrats croulent sous des textes, le mouvement perpétuel rend le tout de plus en plus incompréhensible. La fonction devient de plus en plus dangereuse à exercer. Le risque d'erreur devient de plus en plus grand. Il est impératif de simplifier le droit », résume un autre. Un de ses collègues avoue : « La justice ne peut répondre à toute la misère de la société. Il faut cesser de légiférer pour créer des interdits que la justice n'est pas en mesure de faire respecter, faute de moyens. »

« Une meilleure gestion des dépenses est à envisager en lieu et place de grandes assemblées et colloques coûteux pour des annonces de réformes qui ne verront jamais le jour (cf. la justice du XXIe siècle). » Je partage pleinement ce constat.

Cette situation est similaire à celle décrite par les fonctionnaires de l'administration pénitentiaire qui soulignent une bureaucratisation de leurs missions qui renforce le décalage avec le terrain. Un directeur de prison constate : « L'empilement de la réglementation fait des directeurs de prison et de leurs collaborateurs des professionnels coupés du terrain et qui ne sont plus à même de seconder sur le terrain les officiers désormais en prise directe avec les détenus. » Un autre directeur de prison critique la lourdeur des procédures qui éloignent l'encadrement du terrain : « Les textes nous imposent des réunions obligatoires (suicide, indigence, travail...), ce qui aggrave ce phénomène de coupure par rapport au terrain. » Cette réalité s'exprime souvent au détriment des détenus. Un directeur de prison déplore : « Nous souffrons d'un ensemble de textes à appliquer souvent contradictoires, qui accaparent les personnels, au détriment des contacts pourtant essentiels avec la population pénale. » Ce directeur conclut : « La conséquence, c'est que la hiérarchie ne gère plus directement les incidents en détention. »

« Nombreux sont les magistrats compétents et dévoués qui s'échinent à écoper ce navire pour qu'il se maintienne à flot mais les fissures sont bien là, et les calfeutrer n'est pas suffisant... »

Un ancien substitut du procureur nous livre son expérience :

> « C'est avec un peu de peine que je vous envoie ces quelques lignes sur la magistrature. J'ai embrassé ce métier par vocation et, malgré les tâches passionnantes que j'ai effectuées, j'ai eu beaucoup de déceptions dans l'exercice de mes fonctions. La Justice française occupe, d'un point de vue politique, une place toute particulière au sein de notre société. Sa voix est portée par un ministère qui ne pèse pas dans les arbitrages ministériels, ses magistrats sont beaucoup moins bien payés que ceux des juridictions administratives, ses partenaires (police judiciaire, administration pénitentiaire, travailleurs sociaux) sont eux aussi assez mal lotis... Bref, le poids politique de la Justice est très faible et sa mission, pourtant si essentielle dans une véritable démocratie, peu valorisée, voire décriée. Ce contexte négatif s'avère, années après années, délétère pour l'institution judiciaire

que l'on peut, sans exagérer, comparer à un navire qui coule lentement mais sûrement. »

« Au final, ce sont les justiciables qui font les frais de ces coupes budgétaires. »

Nombre de magistrats s'indignent de leurs conditions de travail :

> « Il y a 25 ans que j'exerce la fonction de magistrat. Je constate que les conditions de travail se dégradent, en raison principalement des restrictions budgétaires. » « Je comprends la nécessité d'économiser les deniers publics, mais au ministère de la Justice, on part de tellement loin que ces économies sont très rudement ressenties », ajoute un autre. « Nos problèmes budgétaires sont insupportables et déshonorent notre institution », dénonce un parquetier. « Dans leur majorité, les magistrats sont très consciencieux et animés par un souci élevé de l'intérêt général mais les blocages sont tels et de nature si différents (matériels, humains, psychologiques voire idéologiques)... La tâche est considérable... », insiste un autre magistrat. « Au final, ce sont les justiciables qui font les frais de ces coupes budgétaires », conclut-il. « On a bien conscience qu'une grande partie des moyens va à l'administration pénitentiaire, et non aux tribunaux », indique un magistrat.

Je partage le constat de ces magistrats. La France sous-investit dans cette mission pourtant essentielle, comme l'attestent les comparaisons européennes. La part moyenne des dépenses publiques annuelles au niveau national allouées à l'ensemble de la justice en 2012 a été de 1,9 %. Pour la moyenne des pays européens, elle s'élève à 2,2 %. Si l'on considère le budget public annuel alloué au système judiciaire en pourcentage du PIB par habitant, l'écart est encore plus important : la France se situe à 0,19 % contre 0,33 % pour la moyenne des autres pays. Chaque système présente des spécificités nationales en termes de fonctionnement et d'organisation. Bien sûr, il existe des marges de manœuvre, par exemple en réorganisant le fonctionnement de la justice et en simplifiant les procédures. Mais on ne peut nier les difficultés que rencontrent magistrats du siège et parquetiers.

Un ancien substitut du procureur critique les demi-mesures mises en œuvre successivement en lieu et place de véritables réformes :

> « Notre justice, débordée par le nombre de missions qui lui sont assignées et auxquelles elle doit répondre avec des moyens humains quasi constants depuis le début du XXe siècle, s'est d'abord résignée à mettre en œuvre des cache-misère inventés par les gouvernements successifs pour faire face aux contentieux de masse et donner l'illusion d'une justice civile bien rendue ou d'une lutte contre la délinquance maîtrisée. La procédure de CRPC – comparution sur reconnaissance préalable de culpabilité – pour désengorger les tribunaux correctionnels, les mesures d'aménagement de peine systématiques pour vider les prisons, en sont de beaux exemples. Au sentiment

permanent de ne pas avoir le temps de faire correctement son travail, s'ajoutent un manque de reconnaissance et un sentiment d'incompréhension face aux critiques nombreuses. »

Christiane Taubira s'est clairement inscrite dans cette ligne.

« Pour répondre à la complexité croissante du droit, il faudrait une véritable politique des ressources humaines. »

« Deux difficultés concernent la gestion des ressources humaines. L'évolution des carrières des magistrats est principalement conditionnée par l'ancienneté et la mobilité du magistrat. Or ces deux critères sont parfois incompatibles ou se révèlent trop rigides pour répondre aux nouveaux défis auxquels doit faire face la Justice : celui de la complexité croissante du droit dans un monde toujours plus réglementé et celui de l'hyperspécialisation des auxiliaires de Justice. Ainsi, par exemple, un magistrat à peine formé à un contentieux technique devra-t-il changer de fonctions pour passer, par exemple, du second au premier grade. Par ailleurs, un magistrat ayant acquis une forte expertise dans un domaine recherché ne pourra pas accéder à certaines fonctions du fait de son manque d'ancienneté dans le corps. Il devra alors laisser sa place à un magistrat plus âgé qui ne répondra pas aux besoins ponctuels d'une cour ou d'un tribunal. Une plus grande souplesse des critères d'avancement permettrait à l'évidence de créer de véritables pools d'expertise et de donner le change à des avocats toujours plus spécialisés et nombreux. Pour répondre à la complexité croissante du droit, il faudrait une véritable politique des ressources humaines ne reposant plus uniquement sur des chefs de cour démunis... »

C'est tout à fait juste. La politique des ressources humaines des administrations publiques reste trop souvent en retard par rapport à l'évolution des besoins. La tendance longue en matière de réorganisation de la justice, c'est la spécialisation des structures et des magistrats sur un certain type de contentieux, pour améliorer la pertinence de la réponse judiciaire, l'efficacité des magistrats et pour mieux tenir compte de la complexité croissante des différents champs du droit.

« À quand une justice respectée comme une véritable autorité, pilier de nos institutions ? »

Nombreux sont ceux qui dénoncent les critiques qui ne leur permettent pas d'exercer leur métier de façon sereine :

« Les conditions d'exercice des magistrats se sont dégradées. Mise en cause quasi systématique sans défense de son ministre, à la différence de la police nationale avec son ministre de l'Intérieur. À quand une justice respectée comme une véritable autorité, pilier de nos institutions ? »

Ce sera mon objectif.

Cette volonté de restaurer l'autorité de la justice s'accompagne d'un souhait d'en faciliter l'accès au citoyen. Ainsi, un magistrat formule le vœu suivant : « Rendre sa place à l'institution, tout en la rendant véritablement accessible, trop souvent le palais de justice impressionne. » L'accès de tous à la justice préoccupe de nombreux professionnels, car trop souvent il est coûteux de demander et d'obtenir justice. « Assurer une représentation en justice pour tous les justiciables : un service public d'avocats ? » suggère un magistrat.

Parmi les pistes de réforme de l'aide juridictionnelle proposées ces dernières années, il a notamment été envisagé de conventionner des avocats volontaires, qui assumeraient les missions d'aide juridictionnelle en contrepartie d'une rétribution mensuelle. Les avocats y sont globalement très hostiles. En effet, à la fin de leur contrat avec l'État, les avocats jusqu'alors salariés risqueraient de se trouver totalement démunis lorsqu'ils retrouveraient l'exercice libéral. Ensuite, la mise en place des avocats salariés de l'État risquerait de priver de revenus les cabinets dont une part importante de l'activité est aujourd'hui constituée par les dossiers d'aide juridictionnelle. Je suis sensible à ces arguments. Ce n'est donc pas dans cette voie que je souhaite m'inscrire pour améliorer l'accès de tous à la justice.

Aujourd'hui, nous sommes dans une impasse : d'une part, il est très difficile d'avoir accès à l'aide juridictionnelle ; d'autre part, il est de plus en plus difficile de financer cette aide. Reprenons chacun de ces points. Pour bénéficier de l'aide juridictionnelle totale en 2015, la moyenne nette mensuelle des revenus doit être inférieure ou égale à 941 euros, soit l'équivalent du seuil de pauvreté. Pour bénéficier d'une aide partielle – comprise entre 85 % et 15 % du montant des frais engagés – le demandeur doit voir son salaire mensuel compris entre 942 euros et 1 411 euros net. Avec de tels plafonds, les classes moyennes ne peuvent donc pas bénéficier de cette aide et faire valoir leurs droits.

Le nombre d'admissions à l'aide juridictionnelle a quasiment triplé depuis 1991, tandis que les dépenses qui lui sont consacrées ont presque quadruplé. En 2012, les dépenses pour l'aide juridictionnelle s'élevaient à 367,17 millions d'euros, contre 315,54 millions en 2008. Je souhaite donc que nous sortions de cette impasse.

C'est pourquoi, je propose de restaurer la Contribution pour l'aide juridique (CAJ) pour financer l'aide juridictionnelle. Issue de la loi de finances 2011, elle imposait à toute personne introduisant une action en justice en matière civile, commerciale, prud'homale, sociale ou rurale de s'acquitter d'une somme forfaitaire de 35 euros. La CAJ a permis d'apporter un financement complémentaire de 54 millions d'euros en 2012, sur une dépense globale de 367 millions d'euros. J'entends déjà la gauche m'interpeller en m'expliquant que la justice doit rester gratuite et que c'est pour éviter de pénaliser « les justiciables les plus vulnérables » que Christiane Taubira avait supprimé cette mesure par la loi de finances pour 2014. C'est pourtant une double inexactitude. D'une part, Mme Christiane Taubira elle-même a augmenté de 150 à 225 euros en 2015 la contribution forfaitaire requise pour les procédures d'appel en matière civile. D'autre part, les plus vulnérables bénéficiant de l'aide juridictionnelle ne payent pas la contribution forfaitaire. Il y a ici une véritable hypocrisie ! Or, cette décision de suppression de la CAJ a considérablement aggravé le financement actuel de l'aide juridictionnelle.

Je ne suis pas pour une politique de la table rase. Je crois au professionnalisme des magistrats, des greffiers, des avocats et de l'ensemble des personnels et auxiliaires de la Justice et à leur engagement quotidien pour une justice de qualité. Des réformes ciblées devraient permettre d'améliorer leur environnement professionnel et donc la qualité de ce service public essentiel.

L'univers carcéral

Lorsqu'on lit les témoignages des agents de l'administration pénitentiaire, on trouve partout le même constat. Un directeur de prison indique :

« Nos conditions d'exercice se sont dégradées, en partie à cause de la surpopulation. »

La colère exprimée par les citoyens et le personnel de l'administration pénitentiaire s'explique simplement : l'actuel gouvernement a arrêté le programme de construction de 24 000 places de prisons qui avait été précédemment engagé. Cette décision est intervenue, alors même que la France souffre d'une surpopulation carcérale évidente avec 57 000 places pour 67 000 détenus. Avec une densité carcérale de 117 détenus pour 100 places en 2013 contre 94 en moyenne au sein des 48 États membres du Conseil de l'Europe, la France dispose d'un nombre de places inférieur à celui observé dans des pays de population équivalente comme le Royaume-Uni qui compte 85 000 places. Au lieu d'augmenter le nombre de places, le gouvernement de Manuel Valls a décidé de diminuer le nombre de détenus, en incarcérant moins et en libérant plus vite. Et ce, alors même que la France incarcère déjà très peu : la France présente un taux d'incarcération faible, et ce en dépit d'un taux d'aménagements de peine élevé : avec 98 détenus pour 100 000 habitants en 2013, contre 118 au Canada, 148 au Royaume-Uni, 147 en Espagne et 133 en moyenne dans l'Union européenne selon World Prison Brief. Il en découle une véritable hypocrisie : 70 % des peines ne sont pas exécutées selon les modalités prévues par les juges qui les ont prononcées. Ce chiffre est doublement inacceptable : pour les victimes d'abord, qui voient leur droit à la justice nié, pour les magistrats ensuite, qui voient leur autorité bafouée. C'est toute la crédibilité de la sanction et son caractère dissuasif qui s'en trouvent dès lors affaiblis. Ceci n'est d'ailleurs pas sans lien avec la question de la récidive.

Un agent de l'administration pénitentiaire témoigne également des conditions de travail difficiles, voire même dangereuses :

> « La prison où je travaille n'est pas équipée d'un sas pour accueillir les véhicules tel qu'on le trouve dans tout établissement pénitentiaire. Il s'agit pourtant d'une protection élémentaire. Les miradors sont très vulnérables et leur rénovation attendue depuis de nombreuses années. » « On a parfois un sentiment d'impuissance face aux conduites déviantes constatées en prison : introduction de téléphones portables, drogues… » déplore un autre.

Le nombre de plus en plus limité de fouilles au nom du respect de la dignité des détenus a conduit à des dérives telles que de nombreuses prisons échappent désormais en partie au contrôle de l'administration pénitentiaire. En effet, comment lutter contre le trafic de stupéfiants si celui-ci est organisé en toute impunité depuis la prison elle-même ? On souhaiterait que le magnifique film de Jacques Audiard, *Un prophète*, ne soit qu'une représentation excessive de la situation de nos prisons. Ces cours de promenades redoutées pour leur violence, la criminalité omniprésente, la peur bien réelle des surveillants face à des situations difficiles à maîtriser, tout cela semble indiquer le contraire. Le cinéaste dépeint une réalité trop fréquente et inacceptable. La prison ne peut donner l'image, comme on l'entend trop souvent, d'une fabrique de délinquants et être le terreau de la récidive.

Un directeur de prison s'inquiète :

> « La législation est tellement exigeante qu'on ne peut plus effectuer des fouilles de détenus, alors que c'est un impératif de sécurité. Nous avons moins de pouvoir en ce domaine qu'un vigile d'aéroport, alors que nous exerçons un métier de sécurité. C'est aussi notre propre sécurité qui est en jeu. »

Un directeur de prison suggère : « Il serait temps de créer une vraie police pénitentiaire, dotée de vrais pouvoirs. » La dénonciation de ces conditions dégradées ne relève pas d'une logique de confort mais avant tout d'une demande légitime de sécurité.

Je retiens cette proposition de créer une police pénitentiaire rattachée à l'administration pénitentiaire qui me semble très pertinente. Ses missions seraient les suivantes : assurer les enquêtes et le renseignement dans les établissements pénitentiaires, faire les extractions judiciaires entre les prisons et les juridictions, sécuriser les lieux autres que celui de détention où peuvent être conduits temporairement des détenus (structures médicales). J'y vois plusieurs avantages : cette proposition permet d'éviter le recours aux forces de sécurité intérieure pour les extractions et de remobiliser ces effectifs sur la voie publique mais elle créera pour les agents de l'administration pénitentiaire qui le souhaitent de nouveaux horizons professionnels. À mes yeux, c'est aussi un moyen efficace de restaurer l'autorité de l'ensemble des agents de l'administration pénitentiaire et d'améliorer leurs conditions de travail. Rassurés sur leur propre sécurité, ils pourront mieux exercer leurs missions au quotidien. Il sera nécessaire de doter cette police pénitentiaire de moyens adaptés à ses missions.

Source de vive inquiétude, la question de la récidive est posée à de nombreuses reprises. La récidive est, aux yeux du citoyen, comme la manifestation d'une forme d'impuissance de l'État et d'une défaillance de la réponse apportée par la justice.

> « Concernant les récidivistes, la libération trop rapide et sans contrôle véritable de la dangerosité, c'est le véritable problème. De nombreux crimes auraient pu être évités », déplore un citoyen.

Cette question est très sensible également pour les magistrats qui considèrent que la récidive alimente la défiance à l'égard de la magistrature :

Paroles de citoyens, de policiers...

« Depuis quelques années, on assiste à une vraie remise en cause de nos décisions et à un climat général de suspicion, dès qu'un problème de récidive se pose. »

La prévention de la récidive, pourtant essentielle, apparaît comme un maillon faible de la politique pénale. En 2010, 11 % des condamnés étaient en situation de récidive légale (condamnation pour des faits identiques), 31 % des condamnés étaient en situation de réitération, c'est-à-dire condamnés à nouveau pour des faits commis après une première condamnation, hors récidive légale et 42 % des condamnés avaient déjà été condamnés au cours des 8 années précédentes.

La réinsertion professionnelle est l'un des aspects essentiels de la réinsertion globale du détenu. Elle est souvent délicate, d'autant qu'il s'agit parfois même d'insertion plutôt que de réinsertion. Dans cette perspective, certains témoignages soulignent le rôle fondamental joué par le travail et la formation professionnelle en prison pour prévenir la récidive. Je crois en effet que le travail en prison est un préalable à une insertion ou réinsertion réussie. Aujourd'hui, il n'est pas systématiquement proposé aux nouveaux incarcérés et quasiment jamais pour les courtes peines. Je ne méconnais pas la difficulté de favoriser l'offre de travail dans un contexte carcéral déjà contraint. Mais la prison ne doit pas devenir une machine à créer de la désocialisation et de la récidive. Je ferai donc en sorte qu'un travail ou une action de formation professionnelle puisse être systématiquement proposé à chaque nouvel entrant en prison.

La problématique de la récidive est particulièrement sensible s'agissant des individus dangereux (criminel, prédateur, pédophile, meurtrier, etc.). Chaque année, 1 150 peines de réclusion criminelle sont prononcées sur les quelque 630 000 peines prononcées, soit 0,18 %, et parmi elles seules 16 le sont à perpétuité. L'expertise médico-psychologique du justiciable tient désormais un rôle majeur dans le procès pénal et peut orienter les débats de manière déterminante. Or, il est fréquent que les experts n'aboutissent pas aux mêmes conclusions, tant en ce qui concerne le diagnostic posé que par rapport aux différentes dimensions qu'ils doivent explorer (motivations, dangerosité, curabilité, réadaptabilité, etc.).

Nos voisins européens expérimentent d'autres approches. Elles ont pour point commun de reposer sur une analyse globale des facteurs de risques. Ainsi, en Allemagne, en Espagne et Italie par exemple, l'évaluation des facteurs de risque est réalisée selon une approche pluridisciplinaire, sur la base d'expertises juridiques, psychologiques, psychiatriques ou sociales. En Espagne, les condamnés sont classés en degré (le premier degré correspond au régime le plus strict en termes de contrôle et de sécurité, le second au régime ordinaire, le troisième au régime ouvert, le quatrième degré de traitement étant celui de la libération conditionnelle). Afin d'aboutir à cette classification, chaque détenu doit faire l'objet d'une évaluation à laquelle correspond un traitement pénitentiaire. Le rapport juridique assure l'exactitude de toutes les données pénales et pénitentiaires avec pronostic éventuel des risques de récidive au regard du passé pénal. Le rapport psychologique se prononce sur l'opportunité d'un suivi. Le rapport du travailleur social évalue les chances d'intégration sociale du détenu. Pourquoi ne pas expérimenter ces nouvelles méthodes ?

Un directeur de prison confie son désarroi vis-à-vis des détenus mineurs et souhaite un encadrement plus ferme de ce public certes spécifique, mais de plus en plus difficile :

> « Il est de plus en plus difficile de travailler au contact de mineurs ingérables pour lesquels même les adultes sont démunis. Il faut renforcer la discipline dans les établissements qui les accueillent. »

Plusieurs citoyens vont jusqu'à proposer la « suppression de toutes allocations aux parents des mineurs condamnés ».

Vous connaissez mon attachement à la réforme de l'école, mère de toutes les réformes. C'est à la source qu'il faut traiter les difficultés. L'approche est la même pour les mineurs délinquants. 75 % des passages à l'acte délinquant sont le fait de mineurs maltraités (violences physiques, psychologiques ou effets des violences conjugales vécues). Une action sur le cadre familial est évidemment nécessaire. Mais la sanction, notamment dans le cas des multirécidivistes, reste indispensable.

Pour que la sanction ait un sens, la première condition à respecter, c'est une justice des mineurs rapide. Or en 2013, 68 % des mineurs n'ont pas fait l'objet d'une procédure en traitement immédiat (orientation en moins de deux jours). Comment espérer que la sanction ait une portée éducative, lorsque la durée moyenne entre les faits et le jugement a été de 20,3 mois en 2013 et que la procédure démarrait 2,5 mois après les faits. La célérité de la sanction pénale est une condition déterminante de son efficacité pour le mineur poursuivi et de son caractère dissuasif pour les autres mineurs. Sans parler des éventuelles victimes qui voient leur droit à la justice nié par la lenteur des procédures.

Un cadre de la gendarmerie souligne :

> « S'agissant de la délinquance des mineurs, il faut arrêter l'angélisme. Il faut considérer les mineurs délinquants comme de vrais délinquants. »

Même s'ils sont minoritaires, ils sont souvent récidivistes (35 %). Une étude de 2011 reprise par le ministère de la Justice, réalisée sur un échantillon de mineurs écroués libérés en 2002, montre que 75 % d'entre eux ont récidivé, et plus de sept sur dix ont été recondamnés à de la prison dans les cinq ans suivant leur libération.

Il convient de ne pas sous-estimer la gravité des faits commis : parmi les 49 000 mineurs condamnés en 2013, 600 l'ont été pour un crime et 800 pour une contravention de 5e classe. Les coups et violences volontaires représentent 8 000 infractions sanctionnées. En 2013, 17 000 mineurs ont été condamnés à une peine d'emprisonnement (36 % des condamnations), dont 5 100 comportent une partie ferme.

Ne pas le reconnaître, c'est renoncer à protéger les citoyens d'une forme de délinquance nouvelle qui se développe en profitant d'une forme d'indulgence des pouvoirs publics. C'est aussi ne pas protéger les mineurs eux-mêmes. D'abord parce qu'une sanction rapide du mineur est dissuasive, ensuite parce que, sachant que la justice est plus indulgente avec les mineurs, les majeurs délinquants qui les « chaperonnent » font commettre ces délits par les mineurs.

Près de la moitié (48 %) des mineurs délinquants poursuivis devant le juge des enfants ont 15 ou 16 ans. La maturité de ces enfants semble suffisante pour considérer que les réponses ne peuvent être exclusivement éducatives, d'autant que l'essentiel de la délinquance des mineurs est le fait de mineurs récidivistes. Ainsi, 7 % des mineurs ont connu plus de 6 affaires de délinquance et ont commis 36 % du total des délits des mineurs. Cette hyper-concentration des délits sur quelques mineurs m'inspire deux remarques : la première, c'est que cette population délinquante ne peut absolument pas être assimilée à des enfants déboussolés pour lesquels un simple rappel à la loi suffirait ; la seconde, plus positive, c'est qu'en apportant une réponse spécifique à ces jeunes récidivistes très en amont, dès le premier délit grave, il est possible de parvenir à des résultats rapides. Remettre 7 % des mineurs dans le droit chemin ou les mettre hors d'état de nuire, lorsque les mesures éducatives ont échoué, c'est un objectif à notre portée. Pour ce faire, il convient d'envisager de limiter le nombre de réponses purement éducatives en cas de succession d'actes de délinquance particulièrement graves pour ne pas contribuer à alimenter le sentiment d'impunité de très jeunes délinquants.

Entretien avec Natacha Polony

Lutte contre le terrorisme

Natacha Polony : Deux mois après les attentats de novembre, quel est votre état d'esprit ?

Alain Juppé : L'État islamique Daech nous a déclaré la guerre. Avec l'attaque inouïe qu'il a perpétrée à Paris au mois de novembre dernier, il a franchi un nouveau seuil dans l'horreur. Il avait planifié et coordonné ces attentats quasi simultanés pour créer le maximum de désordre et de panique. C'était bien un acte de guerre. Face à une telle agression, deux ripostes : faire bloc et faire la guerre. Seule une France rassemblée, unie, soudée peut gagner. C'est pourquoi j'ai apporté mon soutien aux autorités qui sont en charge des destinées de notre pays, le président de la République et le gouvernement. Mais faire bloc sans faire la guerre serait la marque d'une faiblesse coupable. L'État islamique veut créer la peur parmi nous pour nous faire reculer. Nous allons lui opposer un esprit de résistance farouche, une détermination sans faille pour éliminer ces fanatiques. Et faire la guerre, c'est accepter, sur le sol français, des sacrifices en ce qui concerne nos libertés publiques pour une durée nécessairement limitée. C'est accepter que les militaires jouent un rôle plus actif dans la protection du territoire et de notre population, en complément des forces de sécurité intérieure, police et gendarmerie.

Le combat doit être livré sur notre sol mais aussi au-delà de nos frontières. Au Proche-Orient et au Sahel notamment. Nous devons attaquer le mal à sa racine pour assurer notre pleine sécurité. Au Proche-Orient nous sommes engagés dans une coalition dont les frappes contre Daech ont été jusqu'à l'heure d'une efficacité limitée. Et pour cause ! Les objectifs de cette coalition sont ambigus. Aujourd'hui, l'hésitation n'est plus de mise. La priorité est à l'évidence d'écraser Daech. Si les Américains, nous-mêmes, les pays arabes, la Turquie, l'Iran et les Russes le voulons vraiment, nous en avons les moyens. Rien n'interdit de travailler en même temps à la réconciliation des Syriens, qui passera par un changement d'équipe à Damas même si c'est dans un second temps.

Mais l'État islamique c'est aussi Boko Haram. Ce mouvement affilié à Daech depuis mars 2015 commet des atrocités envers les populations que nous ne pouvons accepter.

J'ai employé des mots forts : résistance, combat, détermination farouche. Ce sont les mots de mon intime conviction. Mais attention aux dérives et aux amalgames. J'ai lu sur les réseaux sociaux : guerre mondiale, guerre civile !!! Sachons sang-froid et raison garder. Évitons surtout de dresser les Français les uns contre les autres. Et soyons conscients que ce combat sera de longue haleine.

NP : Pour ce qui est de l'État islamique (que je me refuse à appeler Daech pour en atténuer le sens), son émergence relève d'une responsabilité occidentale. La politique étrangère de la France, avant et après 2012, n'y est pas étrangère, notamment par son refus obstiné de considérer la Russie comme un interlocuteur indispensable (mais là aussi, il a fallu un drame pour que l'exécutif reconnaisse son erreur).

AJ : Daech est, tout simplement, l'acronyme de l'État islamique ! La crise en Syrie date de 2011 et de mouvements de contestation pacifiques que le régime a choisi de réprimer brutalement, en enclenchant un processus de violence et de radicalisation. Il y a là une responsabilité originelle évidente de Bachar el-Assad. C'est son refus d'accorder à son peuple ne serait-ce qu'une once de liberté qui a déclenché une guerre civile permettant à l'État islamique de se renforcer depuis sa base irakienne. Nous avions, Américains et Européens, un objectif clair : éliminer politiquement Bachar el-Assad, responsable à nos yeux de l'écrasement de son peuple, de la radicalisation de son opposition et finalement de la montée en puissance de Daech. Et faciliter la transition vers une Syrie sans Bachar el-Assad.

Nous ne nous sommes pas donné les moyens d'atteindre cet objectif. Il est vrai que nous nous appuyions sur une opposition divisée, incapable de s'entendre sur un projet cohérent. Nous n'avons pas su la fédérer ni l'aider efficacement et d'autres parrains l'ont prise en charge avec des objectifs religieux et territoriaux différents. En outre, nous avons envoyé de mauvais signaux aux belligérants. Le pire est advenu quand le président Obama a averti Damas que l'utilisation d'armes chimiques par son armée constituerait une ligne rouge que nous ne laisserions pas transgresser. La ligne a été franchie… et nous n'avons rien fait. Les frappes aériennes qui ont ciblé Daech en Irak et en Syrie ont tout juste stabilisé le front. Dès lors la voie était libre pour la Russie qui est venue sauver le régime de Bachar el-Assad de l'effondrement qui le menaçait, en bombardant massivement toutes ses oppositions et pas seulement Daech. Une fois encore les démocraties ont fait la démonstration de leur faiblesse face aux régimes autoritaires. La diplomatie française a été la dernière, ou presque, à s'en tenir à la ligne du refus de toute discussion avec Bachar el-Assad qui était celle de Nicolas Sarkozy et la mienne. Le moment est venu de nous asseoir à la table de négociation avec le régime de Damas. Les conditions d'une pacification durable ne seront pas faciles à réunir. En 2001, en Afghanistan, une opération militaire qui avait une grande légitimité après l'attaque des tours du World Trade Center, et qui réunissait une large coalition, est venue à bout en 2 mois des Talibans et d'Al Qaeda. Mais dans la durée, après 14 ans de déploiement massif, nous constatons que rien n'est réglé. J'entends bien que les contextes sont très différents mais il faut être conscient que même une large coalition militaire ne pourra pas stabiliser cette région en effervescence sans une implication politique et diplomatique décisive des acteurs régionaux. Même si la Russie et les États-Unis s'accordent – ce qui n'est pas acquis – sur des solutions de transition en Syrie et en Irak, la clé se trouve entre Ankara, Ryad et Téhéran.

NP : L'Europe a été dramatiquement absente de cette crise. Nos supposés alliés laissent la France en première ligne et refusent d'assumer leur responsabilité.

AJ : Aujourd'hui l'Europe est largement hors jeu et la France a longtemps été seule. Certes le Premier ministre britannique, la chancelière allemande, d'autres responsables européens nous ont témoigné leur compassion. Nous leur en sommes reconnaissants. La France a eu raison de solliciter la « clause de défense mutuelle » contenue dans le traité de Lisbonne. Il faut que cette solidarité européenne se traduise dans les faits car jusqu'aux attentats, sur les théâtres d'opération, nous étions seuls. Et pourtant c'est notre sécurité et notre stabilité collectives qui sont en jeu. La commission européenne qui commente, à juste titre, les résultats économiques des nations de l'UE devrait s'approprier davantage la question et inciter les autres États à participer financièrement à cet effort. On voit bien que le flux de réfugiés qui nous submerge est la conséquence de la guerre qui sévit en Syrie, en Irak… Europe, réveille-toi ! Personne n'assurera ta défense ni le contrôle de tes frontières à ta place !

NP : Est-ce que des frappes (dont la France assure une part infime) peuvent suffire à éradiquer ce cancer ? Si nous sommes en guerre, il faut en assumer les conséquences, et cela implique des morts. Une intervention au sol, donc.

AJ : Elle sera nécessaire. On voit bien que les frappes aériennes ne suffisent pas. Mais il est inenvisageable que la France intervienne seule au sol. Nous n'en avons pas les moyens et ce serait folie sur le plan politique. La balle est dans le camp des pays de la région. La Turquie est-elle prête à s'engager ? Ou bien son but est-il d'abord d'écraser les Kurdes ? Qu'en pensent les Saoudiens ? Encore une fois, nous avons trop d'exemples d'interventions militaires occidentales qui ont atteint leur objectif à court terme – vaincre leurs adversaires – mais n'ont pas permis une stabilisation durable.

NP : État d'urgence, déchéance de nationalité, interdiction de retour des bi-nationaux, réforme constitutionnelle, autant de propositions refusées jusqu'alors. Il faut attendre 130 morts pour prendre la mesure du danger qui guette la France et écouter la voix de ceux qui réclamaient une véritable action ?

AJ : C'est à François Hollande qu'il faut poser la question. Mais pour ma part je me refuse à ces polémiques stériles. Il est si facile de refaire l'histoire. J'ai approuvé la plupart de ces mesures qui me semblent de nature à mieux protéger les Français. À présent, ce sont des résultats que nous attendons, que les Français attendent. La crédibilité des discours est faible. Seuls les résultats comptent. Méfions-nous de la surenchère d'imagination juridique. Tous les outils sont déjà en place : on peut faire des perquisitions jour et nuit avec l'état d'urgence, prononcer des interdictions de séjour, expulser les imams étrangers dangereux. Ce qui compte c'est la volonté politique d'agir.

Je veux par ailleurs insister sur le rôle stratégique du renseignement. Nous devons absolument renforcer nos capacités de renseignement, à tous les niveaux – dans les services centraux et sur le terrain –, afin d'identifier ce que les spécialistes appellent des signaux faibles, lesquels indiquent qu'il se passe quelque chose, comme le développement d'un trafic. Or les réformes successives qui ont été conduites ces dernières années n'ont visiblement pas renforcé le renseignement français. Il faut en tirer les conséquences. Sur le plan national en premier lieu nous devons assurer une plus grande cohérence et une meilleure articulation entre tous les acteurs de ce qu'on appelle « la communauté du renseignement ». DGSI, DGSE, douanes, DRM, Tracfin, tous ces organismes travaillent très professionnellement, mais leur coordination est-elle optimale ? Le Coordonnateur national du renseignement, mis en place auprès du Président lors du précédent mandat, n'a pas été valorisé par François Hollande. La définition même de la communauté du renseignement, sa composition, méritent débat. Sur le plan territorial, la fusion des activités anti-terroristes de la DST et des RG en 2008 a conduit à une césure entre les services chargés de la lutte contre le terrorisme et le renseignement territorial, antérieurement assuré par les RG, qui a été relégué au second plan. Au final, le service chargé de la lutte contre le terrorisme (la DGSI) s'est largement coupé du terrain et n'a plus autant de relais et de capteurs territoriaux qu'il le faudrait. De même qu'aux termes de la loi, la gendarmerie ne fait pas partie du premier cercle de la « communauté du renseignement » alors même que cette institution est précisément la seule à disposer d'un maillage territorial qui couvre 95 % du territoire. Il faudra ouvrir ce débat, qui se heurte largement à des crispations corporatistes et bureaucratiques. J'ajoute également que les réponses apportées depuis quelques mois, à travers notamment la loi sur le renseignement, sont essentiellement quantitatives : plus d'effectifs, plus de capacités techniques, plus de données collectées. Mais cet effort ne portera pas ses fruits sans une exigence qualitative plus affirmée : les recrutements doivent correspondre à des besoins et des expertises identifiés (sur le plan linguistique particulièrement), la recherche humaine et l'analyse doivent être renforcées car la masse croissante de données techniques collectées exige une exploitation extrêmement pointue, la coordination, la fluidité même entre les acteurs doivent être améliorées. Enfin je demande aux pouvoirs publics de faire pression sur les grands opérateurs de l'Internet et les fournisseurs d'accès pour qu'ils donnent les clés de déchiffrement des logiciels cryptés qui rendent difficile voire impossible d'intercepter les communications des individus dangereux.

NP : François Hollande veut être « impitoyable ». Avec une armée exsangue ? Dans la mesure où la France assure seule l'effort militaire en Europe, il y a déjà longtemps que certains réclament que le budget de la défense ne soit pas pris en compte dans le décompte du déficit budgétaire. On vient enfin de s'en soucier. Alors, le pacte de sécurité doit passer devant le pacte de stabilité ?

AJ : Notre armée est performante, mais son budget est « à l'os ». Il doit être préservé. L'armée doit avoir les moyens d'assurer ses missions. Je veux revenir sur les annonces de François Hollande. Certes 5 000 policiers, 2 500 personnels de justice et 1 000 douaniers sont essentiels pour rétablir une sécurité durable. Mais nous devons la vérité aux Français : ces personnels ne seront pas sur le terrain avant au mieux deux ans. L'État devra les recruter puis les former. Si le gouvernement souhaite effectivement des personnels de sécurité immédiatement opérationnels, il doit, comme je le propose, faire appel aux réservistes de la police ou de la gendarmerie qui sont des professionnels aguerris. Concernant l'opposition entre pacte de sécurité et pacte de stabilité, je récuse cette alternative. Il faut les deux ! Je ne peux accepter que ces recrutements, qui représentent un coût annuel de 600 millions d'euros, ne soient pas financés par des économies supplémentaires. La souveraineté c'est tout autant la sécurité que la dette. Je crains que cette formule ne recouvre une autre réalité, celle des cadeaux budgétaires à l'approche des élections en faisant l'impasse sur nos engagements européens. Il n'est pas tolérable que notre sécurité soit financée par encore plus de dette et donc par une baisse de notre indépendance et que ce soient les générations suivantes, nos enfants, qui financent notre sécurité.

NP : Quelle est votre opinion sur la loi renseignement votée dans la foulée des attentats de janvier (même si elle était prête avant) ? Droite et gauche l'ont critiquée en arguant (sans doute à raison) que l'ensemble des personnes qui, ces derniers temps, s'étaient rendues coupables de terrorisme étaient déjà suivies. Sur ces personnes-là, la loi renseignement n'apporte rien. Néanmoins, elle pose d'autres problèmes, notamment en matière de contestation économique ou de lutte contre le lobbying de certaines entreprises.

AJ : Bien sûr le renseignement recouvre des dimensions plus larges que le seul anti-terrorisme. Mais la priorité absolue est bien la lutte contre ces réseaux terroristes qui nous ont déclaré la guerre. L'islamisme radical a recours au terrorisme contre nos sociétés depuis plus de 30 ans. Le renseignement, c'est-à-dire la connaissance de l'adversaire, la détection de ses réseaux et l'entrave de ses actions, est un maillon essentiel de ce combat. Une loi venant encadrer et préciser la légalité et les moyens du renseignement est donc indispensable. Même si elle n'est pas parfaite, je crois donc qu'au bout du compte j'aurais voté cette loi.

NP : Des milliers de personnes en France font l'objet de ce qu'on appelle une fiche S : ils sont censés être signalés, suivis. Des étrangers (je pense à l'assaillant du Thalys ou aux auteurs des attentats de novembre) sont fichés mais parviennent malgré tout à circuler sans aucune difficulté sur le territoire européen alors qu'ils sont radicalisés. D'autres personnes, malgré ce suivi, arrivent à disparaître des écrans radar... Cette loi sur le renseignement va-t-elle réellement permettre de traiter cette question ?

AJ : La problématique des personnes « fichées » renvoie moins à la loi sur le renseignement elle-même qu'à l'articulation entre le renseignement, qui doit conserver des modes opératoires discrets voire secrets pour son efficacité, et la justice, dont l'action se fait par des procédures légales ouvertes. À quel moment « judiciarise-t-on » le renseignement ? La réponse judiciaire, qui requiert des procédures lourdes, ne compromet-elle pas parfois un travail de renseignement discret plus approfondi ? Ce débat n'est pas anecdotique. C'est le cœur de la lutte anti-terroriste sur le sol national.

Quoi qu'on puisse en dire, cette loi sur le renseignement est un progrès ne serait-ce que parce qu'elle fixe un cadre juridique qui n'existait pas. S'agissant des personnes recherchées, il existe plusieurs fichiers. Le fichier des personnes recherchées comporte environ 400 000 entrées et 10 500 personnes font l'objet d'une « fiche S ». Le Premier ministre a même donné le chiffre de 20 000. Outre l'abondance des données, l'on se heurte à une vraie difficulté qui est celle de la massification à la fois des auteurs potentiels et des cibles. Le nombre de personnes à surveiller va croissant sous l'effet combiné des départs à l'étranger de Français pour mener le Djihad, de l'effet viral des médias sociaux utilisés par les djihadistes et de la porosité entre populations carcérales, organisations criminelles classiques et mouvements terroristes. Parallèlement, les terroristes ne s'arrêtent plus aux cibles « symboliques », comme les lieux de culte ou les journalistes. Ils cherchent à semer la terreur partout, dans les moyens de transport (la tentative d'attentat dans le Thalys le 21 août dernier) comme sur les terrasses de café ou les salles de concert.

Donnons-nous donc les moyens de faire progresser le renseignement pour l'adapter à cette massification de la menace. De nouvelles techniques doivent être expérimentées en matière de reconnaissance faciale ou de détection comportementale... Nous vivons dans un contexte bien particulier, celui d'une guerre dont l'enjeu est la sécurité quotidienne de nos concitoyens. Au-delà de cet aspect des choses, je souhaite que la France investisse massivement dans l'économie de la sécurité. C'est un secteur économique en pleine expansion qui nécessite recherche et développement et dont les résultats peuvent être utilisés par nous, mais peuvent aussi être exportés. Je pense notamment à la cybersécurité. Les pouvoirs publics, les entreprises privées et les particuliers sont aujourd'hui exposés à des menaces quotidiennes dans le cyber-espace (cyber-criminalité, cyber-sabotage, cyber-renseignement). La France doit renforcer sa cyber-sécurité et mieux anticiper les menaces en renforçant ses capacités d'analyse des cyber-attaques. L'exemple américain indique par ailleurs que le degré de cyber-protection est étroitement corrélé aux investissements nationaux dans les start-up de la base industrielle et technologique de défense. Action de l'État et innovation industrielle doivent aller de pair.

NP : Tout récemment, un détenu fiché S et condamné en 2013 à six ans de prison s'est évadé pendant une permission. Après être resté plusieurs semaines en cavale, il a tiré sur un policier qui s'est retrouvé entre la vie et la mort. Parmi les terroristes de novembre, plusieurs étaient répertoriés dans ce fichier. Ce genre de fait scandalise les Français, et justifie les discours sur le laxisme actuel en matière de justice.

AJ : Avec cette tragédie nous sommes face à un fiasco de nature à nourrir la défiance de nos concitoyens vis-à-vis des pouvoirs publics. Il faut d'abord rappeler qu'une fiche S est un système de surveillance, ce n'est pas une fiche de culpabilité. Il y a de tout dans ce fichier : des personnes potentiellement dangereuses et d'autres qui ne le sont pas mais qu'il faut surveiller au regard de leurs fréquentations par exemple. Cela ne permet pas de mettre en prison la personne dont on assure le suivi mais de détecter des comportements à risque. J'entends les propositions de certains qui veulent les emprisonner et créer ainsi une sorte de « Guantanamo français ». Ce serait renier tout ce en quoi nous croyons, mais ce serait également réduire notre capacité de renseignement car la surveillance de ces suspects permet de remonter les filières et d'arrêter les individus vraiment dangereux. Nous ne devons pas tomber dans la surenchère démagogique et inefficace. Je ne crois donc pas à une mesure générale de privation de liberté de tous les individus présents sur ce fichier. Face aux risques nouveaux, nous devons adapter notre état de droit et pouvoir si nécessaire et au cas par cas assigner à résidence ceux qui sont considérés comme dangereux. L'état d'urgence permet d'ailleurs de le faire. Nous devons par ailleurs assurer la rétention administrative des Français qui reviennent de Syrie. Ils sont des menaces potentielles, et nous ne pouvons pas les laisser en liberté. Je suis par ailleurs très favorable à une proposition présentée par Valérie Pécresse. Nous devons informer les employeurs qu'un de leurs salariés est fiché S, dès lors que le salarié occupe un emploi sensible dans un aéroport, une gare ou un service de protection. C'est du simple bon sens.

NP : Le fait que nous vivions dans ce contexte justifie-t-il pour autant de voter une loi qui risque, à travers certaines de ses dispositions, d'interdire aux citoyens de contester une autorité qu'ils jugent injuste ?

AJ : Voilà bien une question on ne peut plus cruciale : où mettre la barrière entre ce qui peut être considéré comme liberticide et ce qui peut protéger les libertés individuelles ? Je pense que les Américains ont basculé vers une mise en danger des libertés avec le *Patriot Act*, notamment : il serait nocif de s'en inspirer totalement. Pour autant, soyons lucides : ne pas se donner les moyens de se défendre au nom des libertés individuelles serait une erreur. La première des libertés, c'est de vivre ! Il existe en France une instance capable d'apprécier si on respecte ou non les principes fondamentaux de notre Constitution en matière de protection des libertés individuelles : le Conseil constitutionnel. À ma connaissance, il n'a pas invalidé la loi sur le renseignement.

NP : Donc intégrer la question de la défense des intérêts économiques ou industriels dans cette loi ne vous pose pas de problème ?

AJ : Non. Et ce n'est pas parce qu'il y a des intérêts économiques qu'ils sont forcément mafieux...

NP : Certes, mais il y a aussi le cas de militants qui lorsqu'ils voudront contester l'action de certaines multinationales (en matière d'écologie notamment) pourront être attaqués en justice par ces entreprises au nom de cette loi censée protéger les intérêts économiques...

AJ : Soyons clairs : cette loi est faite pour enrayer le terrorisme, pas pour gêner les ONG qui se livrent à des investigations. Faisons preuve de bon sens : l'esprit de la loi a son importance.

NP : Revenons un instant sur la question des prisons. Faut-il isoler les personnes radicalisées et les séparer du reste de la population carcérale au risque de créer des pôles de concentration ?

AJ : Je veux des lieux séparés pour les individus radicalisés pour éviter la « contagion » et évidemment un encellulement individuel. Mais il faut parallèlement créer des modules individuels de déradicalisation en faisant intervenir des repentis pour transmettre le message mais aussi en donnant un rôle accru à des aumôniers musulmans qui sont trop peu nombreux.

NP : Ils sont même scandaleusement peu nombreux ! D'autant plus qu'une grande difficulté réside dans le fait que ces aumôniers musulmans sont perçus comme des complices de l'État français par les prisonniers déjà radicalisés.

AJ : Il faut mieux former ces aumôniers et leur donner un statut tout en veillant aux conditions dans lesquelles ils exercent leur métier. Le système fonctionne avec les aumôniers militaires et hospitaliers : pourquoi ne pourrait-on pas le transposer en milieu carcéral ? Par ailleurs j'insiste sur la nécessité de renforcer le renseignement en prison. Il me paraît par exemple indispensable de pouvoir sonoriser des cellules. Le djihadisme se nourrit d'une haine farouche contre la France et le rejet de notre pays est largement véhiculé dans les établissements pénitentiaires. Il faut être en mesure de faire remonter des informations sur les détenus, notamment sur leurs projets à la sortie. Il en va de notre sécurité.

La prison n'est pas le seul vecteur de radicalisation : Internet a aussi un rôle majeur dans ce phénomène. On a réussi à mettre en œuvre des dispositifs de lutte contre les sites pédophiles : pénalisons la consultation habituelle de sites radicaux ou djihadistes. Nous ne pouvons plus nous contenter de demander aux fournisseurs d'accès de retirer des contenus illicites. C'est en détectant les gens qui se rendent fréquemment sur de tels sites qu'on pourra alimenter le renseignement. Il faut également élaborer un contre-discours laïc, en étroite relation avec la communauté musulmane, quitte à l'y aider : l'université de Strasbourg a une formation diplômante qui va dans ce sens. Pourquoi ne pas exiger que les imams amenés à prêcher dans les lieux de culte reçoivent une formation non seulement sur le Coran et la théologie musulmane mais aussi sur la laïcité telle que la conçoit la France ? Ils ne pourraient être autorisés à prêcher, en français, sans cette formation sanctionnée par un diplôme.

NP : Ne pensez-vous que les musulmans français sont trop silencieux ?

AJ : Il est essentiel qu'à l'image de Tareq Oubrou, recteur de la mosquée de Bordeaux ou de l'imam de Drancy, qui prennent, je le sais, des risques personnels, les autorités morales et spirituelles des Français musulmans répètent haut et fort que, eux aussi, sont engagés dans le combat contre le terrorisme de Daech, contre les dérives sectaires de leur religion, contre le fanatisme et la barbarie. Il est tout aussi essentiel que les musulmans de France se lèvent aussi pour la défense de nos valeurs et de la République. Beaucoup l'ont fait après les attentats du 13 novembre. Le CFCM a solennellement affirmé « son attachement indéfectible au pacte républicain qui nous unit tous, ainsi qu'aux valeurs qui font la France ». Je salue leur courage et leur lucidité.

NP : Que faire des mosquées salafistes répertoriées en France ?

AJ : Elles doivent être fermées. À Bordeaux, en collaboration avec le préfet, nous nous informons sur ce qui se passe dans les mosquées. En cas de dérive salafiste évidente, il est procédé à des fermetures ou à l'expulsion des imams qui tiennent des discours contraires aux valeurs de la République. Soyons très clairs sur ce point : la laïcité est le respect par les religions des principes républicains. Quand une religion ou un religieux contrevient à ces notions essentielles, une réaction s'impose. Nous n'avons certainement pas été assez fermes sur ce sujet.

NP : Il y a un lien entre ces réseaux terroristes et la libre circulation des personnes. Le criminologue Alain Bauer expliquait après les attentats de janvier qu'un quartier de Bruxelles est surnommé le « Bruxellistan » : les apprentis

terroristes peuvent s'y rendre sans difficulté et acheter des armes en provenance de l'ex-Yougoslavie. Les terroristes de novembre ont organisé leurs attentats depuis la Belgique. L'espace Schengen ayant été instauré pour ouvrir les frontières, il est désormais impossible de lutter contre ce phénomène. La libre circulation des biens et des personnes, ça donne ce genre de supermarché du terrorisme...

AJ : Je tiens d'abord à rappeler que l'espace Schengen a été créé pour permettre la libre circulation des biens et des personnes à l'intérieur des pays qui le constituent, à savoir 22 membres de l'Union européenne auxquels s'ajoutent la Norvège, l'Islande, le Liechtenstein et la Suisse. En revanche, il n'a pas été fait pour être grand ouvert aux frontières extérieures, or beaucoup des armes qui circulent dans les lieux que vous évoquez viennent justement de l'extérieur de cette zone. Il faut faire en sorte que la libre circulation des personnes soit pilotée. Il faut créer un Eurogroupe ad hoc dirigé par un président capable d'évaluer, de décider, tout en donnant à l'agence Frontex les moyens d'effectuer des contrôles et d'agir.

S'agissant, maintenant, de ce qui se passe à l'intérieur de l'espace Schengen, il est impensable que la France ferme de manière définitive ses frontières avec ses voisins. Ce serait là un recul historique vis-à-vis de tout ce que les Européens ont essayé de faire depuis 50 ans : je n'y suis pas favorable. Il est cependant urgent que le Parlement européen accepte de reconsidérer sa position de refus du fichier PNR des passagers aériens. Il n'est pas inutile de rappeler à cet égard que la gauche européenne, ainsi que l'extrême droite, ont combattu ce dispositif depuis des années au Parlement européen. Ce n'est pas le moindre des paradoxes que de voir un ministre de l'Intérieur socialiste être soutenu à Strasbourg et Bruxelles par les élus de droite républicaine sur ce sujet mais ne pas parvenir à rallier ses propres amis socialistes... Au-delà de ces contradictions partisanes, il faut bien reconnaître que trop de forces politiques, à l'échelle européenne, n'ont pas pris la mesure de la menace à laquelle notre continent est confronté. Enfin nous avons la possibilité, et nous l'utilisons, de rétablir un contrôle temporaire, à nos frontières. Nous devons utiliser cette possibilité aussi longtemps que cette guerre durera. Quant à ce « Bruxellistan », ce n'est pas Schengen qui nous interdit d'agir ! Ce sont les faiblesses de nos gouvernements qui restent souverains en la matière ! Nos partenaires doivent, comme nous, intensifier la guerre contre l'islamisme radical, la lutte contre le trafic d'armes et de stupéfiants qui alimentent l'ensemble. Cette guerre n'est pas seulement française, elle est occidentale. Les terroristes exploitent les failles dans les dispositifs nationaux de sécurité. C'est par la Hongrie par exemple qu'ils rentrent de Syrie. C'est également depuis la Belgique que plusieurs attentats commis sur le sol français ont été planifiés. Sans véritable coopération entre services nationaux de renseignement européens, nous resterons vulnérables. Nous avons su par le passé éradiquer la menace représentée par ETA en mettant sur pied des équipes mixtes franco-espagnoles. Pourquoi ne pas s'en inspirer pour opposer un front uni aux djihadistes qui reviennent en Europe ? Nous devons intensifier la coopération entre les services de renseignement qui restent de la responsabilité souveraine des États.

NP : Certes, mais si un État affaibli s'avère incapable d'endiguer ce phénomène, devons-nous nous résigner, au nom de l'Europe, à en subir les conséquences ? La foi européenne nous conduit depuis longtemps à accepter l'impuissance et la perte de notre souveraineté territoriale.

AJ : Avant de jeter l'opprobre sur les autres États, interrogeons-nous sur nos propres capacités de lutte contre le trafic d'armes. Gare aussi aux faux procès trop rapides sur les défaillances de nos voisins. Dans le cas particulier de la Belgique, la France, qui dispose de moyens humains et techniques sans commune mesure, exerce de fait une responsabilité partagée dans le renseignement anti-terroriste. La priorité sur la question du trafic d'armes est moins de se replier sur une capacité strictement nationale d'entraver les trafics que d'harmoniser, à l'échelle européenne, des législations actuellement très différentes parce qu'elles sont essentiellement nationales. Ces dispositifs hétérogènes sont exploités par trafiquants et terroristes. De plus, les moyens d'investigation ne sont pas suffisamment utilisés. Je pense notamment aux analyses ADN lorsque l'on trouve une « planque » d'armes, qui peuvent permettre d'identifier les membres d'une filière. Par ailleurs, le trafic d'armes s'appuie de plus en plus sur Internet et la vente en ligne. Les armes arrivent ensuite sur notre territoire par colis. Des capacités de détection des armes doivent donc être développées au moyen de contrôles automatisés des colis. Enfin, il est certain qu'une harmonisation des législations européennes est indispensable car certaines sont plus permissives que d'autres. Le démantèlement de ces trafics repose donc sur la volonté politique. Cela dit, je constate que Schengen a vécu et que nous devrons renégocier ce traité.

NP : On constate de plus en plus le lien qui existe entre la délinquance liée à la drogue et le terrorisme. Quelles armes pourraient empêcher que des trafiquants de stupéfiants deviennent potentiellement des individus dangereux pour la société française ?

AJ : J'ai proposé plus haut de renforcer le lien opérationnel entre les services spécialisés et les services de terrain qui doivent retrouver la plénitude de leurs moyens pour faire remonter ces signaux faibles et obtenir les informations nécessaires à une lutte efficace contre les terroristes. Il faut faire de la collecte des renseignements opérationnels pouvant être utilisés dans les procédures judiciaires (en particulier celles qui visent le trafic de stupéfiants qui peut effectivement financer le terrorisme pour l'acquisition d'armes notamment) une priorité de ces services territoriaux. Il est également nécessaire d'intensifier le renseignement pénitentiaire afin qu'il prenne toute sa place dans le repérage précoce des individus en voie de radicalisation. Ceci est d'autant plus indispensable que la radicalisation se fait de plus en plus discrète et les détenus se montrent toujours plus prudents jusqu'à renoncer à tout signe ostensible. Hélas, l'administration pénitentiaire, dans ce domaine précis, n'a ni les moyens ni la formation adéquate pour faire remonter les signaux, faibles ou forts, qu'on peut détecter en prison. Dans le cadre de la loi sur le renseignement du 24 juillet 2015, le gouvernement s'est opposé à ce que le service du renseignement pénitentiaire puisse procéder à la sonorisation des parloirs et des cellules : il s'agit là à mon sens d'une très mauvaise décision. Tâchons au contraire de renforcer le renseignement pénitentiaire et de l'intégrer pleinement à la communauté du renseignement. Plus largement, beaucoup de choses se passent et transitent dans les prisons sur fond de trafics. Il est temps de nous doter d'une vraie capacité d'assurer la sécurité dans les prisons. Je souhaite donc la création d'une véritable police pénitentiaire qui serait chargée de prêter main forte dans les établissements pénitentiaires, d'assurer des missions de renseignement et d'assurer les extractions de détenus et leur garde à l'extérieur des prisons, tâches indûment assurées par les forces de l'ordre.

Sécurité
La sécurité au quotidien

Natacha Polony : Pendant des années, s'agissant des questions de sécurité, les Français ont eu l'impression qu'on leur parlait de ce qu'ils devaient voir et non de ce qu'ils voyaient réellement : on a évoqué un « sentiment d'insécurité », brandi des statistiques assurant que tout allait mieux. Il y a pourtant aujourd'hui une colère, une sensation d'injustice. Comment y répondre ? Existe-t-il seulement un « sentiment d'insécurité » ou y a-t-il un problème autour de cette question ?

Alain Juppé : Il n'y a pas *seulement* un « sentiment d'insécurité ». Pour ma part, je n'ai jamais apprécié cette expression : elle laisse entendre que les gens voient des dangers là où il n'y en a pas. Or les problèmes sont là : il y a non seulement beaucoup de tensions dans les quartiers dits sensibles, mais aussi une montée de l'insécurité dans les zones rurales, y compris dans les zones agricoles. J'en veux pour preuve les statistiques qui viennent d'être publiées sur la progression de l'insécurité : l'augmentation des cambriolages, qui s'élève à + 3 % ces trois derniers mois par rapport au trimestre précédent, mais aussi des atteintes aux biens et aux personnes, est bien réelle, elle n'a rien d'un *sentiment*. Sortons de ce langage convenu et attaquons-nous aux vrais problèmes : la réalité de l'insécurité est bien là. Et si les Français la ressentent si douloureusement, c'est qu'à leurs yeux, les pouvoirs publics sont impuissants à endiguer ce phénomène. Il faut donc se donner les moyens de le faire.

Aussi, ma première priorité sera d'occuper le terrain, de faire en sorte que les forces de sécurité (police et gendarmerie) soient physiquement plus présentes. Lors de mes visites dans certains quartiers de Bordeaux, j'entends souvent les habitants me dire qu'ils appellent la police mais qu'elle ne vient pas. Or les gens veulent voir des policiers sur le terrain, dans leur quartier. Sur cinq ans, 4500 policiers et gendarmes seront redéployés sur le terrain.

NP : N'y a-t-il pas, précisément, un problème de répartition ? La police française concentre ses forces en centre-ville alors que des besoins cruciaux se font sentir dans certains quartiers où

on tolère des choses qui seraient inacceptables partout ailleurs. Comment comptez-vous modifier ce qui est une problématique structurelle ?

AJ : Permettez-moi tout d'abord de dire que je ne souhaite pas renouer avec la forme ancienne de la police de proximité. Je l'ai constaté dans ma ville : il est inutile d'implanter de manière fixe des forces de police dans un bâtiment dont elles ne sortent que trop peu. Il faut plutôt des patrouilles sur le terrain, mobiles et visibles, à pied, en voiture, pour régler les nuisances du quotidien, constater les infractions, avoir des contacts plus réguliers avec la population. Cela nécessite en effet de redéployer les moyens de la police, y compris en centre-ville et dans les quartiers dans lesquels il faut fidéliser des effectifs pour favoriser les liens avec les habitants et le recueil de renseignement. Certains chiffres sont assez spectaculaires : on estime qu'à un instant donné, la part de policiers véritablement sur le terrain est inférieure à 10 % des effectifs globaux. Cela veut dire, dans une ville de 30 à 40 000 habitants, qu'il y a moins de 3 policiers sur le terrain à un instant donné ! Il faut changer les choses en profondeur, surtout si on veut mettre fin aux zones de non-droit, qui sont une triste réalité.

NP : Mais justement allez-vous trouver le moyen d'alléger ce temps consacré aux procès-verbaux,

ce temps consacré aux procédures administratives, qui sont censés être là, aussi, pour protéger l'« usager » des forces de l'ordre, le prévenu... Comment peut-on faire ?

AJ : Effectivement, les policiers consacrent beaucoup trop de temps, 60 %, aux tâches administratives, notamment à la rédaction des procès-verbaux au détriment de leur présence sur la voie publique et du travail d'enquête. Au cours d'une garde à vue, un policier passe entre un tiers et la moitié de son temps à ne s'occuper que des règles procédurales, et ce pour des affaires de moyenne importance, cette proportion est plus défavorable encore lorsqu'il s'agit d'une affaire simple. Ce qui m'amène à avancer deux propositions. Tout d'abord, recruter des personnels « civils » pour effectuer des tâches administratives. Ces derniers sont moins coûteux pour la collectivité que les policiers en service actif, qui ont un statut et des conditions de travail particuliers.

Ensuite, il faut absolument simplifier les procédures pénales. On est sans doute allé trop loin dans la multiplication des garanties et des enregistrements, la technicité de la législation : ces procédures devront impérativement être simplifiées afin que les choses aillent plus vite, ce qui permettra à la police de se consacrer à sa mission, être présente sur le terrain. Je comprends la nécessité d'une procédure pénale pour garantir aux justiciables leurs droits les plus élémentaires mais pas au point de bloquer la justice ou de donner plus de droits aux délinquants qu'aux victimes. Je lancerai donc un plan de simplification de la procédure pénale qui devra redonner de l'air aux forces de l'ordre.

NP : Et dans les zones rurales les paysans sont confrontés à de véritables razzias, des vergers pillés, des vaches découpées sur pied. Comment on lutte contre ces filières venues des pays de l'Est ?

AJ : On voit en effet se développer dans les zones rurales de nouvelles formes de délinquance : on dérobe des récoltes, des tracteurs, du matériel... La gendarmerie doit être en situation d'y faire face. Cela suppose d'appliquer les mêmes mesures que dans la police afin que les gendarmes passent moins de temps devant leurs ordinateurs à remplir des procédures et soient davantage sur le terrain. Il faut également activer les moyens à notre disposition pour lutter contre la délinquance itinérante, les vols dans les communes rurales étant souvent, comme vous le faisiez remarquer, l'œuvre de bandes organisées qui vont de ferme en ferme, cambriolent plusieurs maisons dans des lotissements pendant que leurs occupants sont au travail. Les auteurs sont souvent très mobiles, très organisés et écoulent très rapidement la marchandise volée, y compris à l'étranger. Les militaires ne peuvent être partout, dans chaque rue, dans chaque village. Par contre, ils peuvent contrôler les axes, les routes, les mouvements. Je pense que nous parviendrons à des meilleurs résultats en contrôlant davantage les flux. Le travail sur les filières, notamment internationales, ne peut être conduit au seul niveau des implantations locales de la gendarmerie mais doit mobiliser des moyens dédiés au niveau national. Je pense ici à l'office central en charge de la délinquance itinérante, qui doit être renforcé et mis en connexion avec la gendarmerie de terrain.

NP : Sur la question très particulière de ce phénomène de razzia, on sait qu'il existe des filières venues des pays de l'Est et nous touchons là à un problème beaucoup plus vaste : celui de la sécurité du territoire national intimement lié à la question de l'ouverture des frontières. Comment faites-vous dès lors pour éviter que des flux puissent s'organiser en véritables mafias, capables de faire disparaître jusqu'à des tracteurs ?

AJ : Il faut évidemment lutter contre ces mafias, pour reprendre votre terme, quand elles sont là. À travers le renforcement du service chargé de la lutte contre la délinquance itinérante comme je l'évoquais tout d'abord. Par ailleurs, au risque de surprendre, je crois qu'il faut développer, aussi bien dans les campagnes que dans les villes, la participation citoyenne. Des initiatives de ce type ont déjà été prises dans certains départements : si un commerçant constate qu'un individu fait des repérages, s'il a été menacé ou a subi une tentative de vol, il peut alerter l'ensemble des commerçants concernés du secteur par l'intermédiaire de la gendarmerie grâce à la diffusion de SMS par exemple. Je souhaite généraliser ces bonnes pratiques qui ont fait leurs preuves. De même, les dispositifs de « voisins vigilants », qui ne sont pas fondés, comme on veut parfois le faire croire, sur la délation mais sur la solidarité, sont efficaces. Je souhaite donc accompagner le développement de toutes ces initiatives qui permettent de renforcer collectivement la sécurité et associent la population et les forces de l'ordre dans un partenariat fructueux.

NP : Vous évoquiez à l'instant l'organisation des forces de sécurité et votre intention de limiter les tâches administratives. Ne faudrait-il pas également revoir son processus de nomination ? Bien souvent, les policiers envoyés dans les quartiers les plus difficiles sont jeunes et inexpérimentés. Pensez-vous que le système d'incitation soit suffisant ?

AJ : Il s'agit là d'un problème plus général, qu'on retrouve également dans l'Éducation nationale : c'est le plus souvent dans les banlieues les plus difficiles qu'on envoie les enseignants les moins expérimentés. Une gestion plus intelligente des ressources humaines est nécessaire pour préserver un équilibre entre jeunes gardiens de la paix et fonctionnaires plus expérimentés dans les zones sensibles.

En outre, il est nécessaire de mieux coordonner police et gendarmerie, tout en maintenant un équilibre entre chaque force et en préservant leurs spécificités. Une coordination approfondie entre les deux forces est le gage d'une plus grande efficacité de la lutte contre l'insécurité. Cette coordination peut être facilitée par la mutualisation des moyens. Pourquoi ne pas imaginer un système d'information de la gendarmerie et de la police unique ?

NP : Dieu sait qu'il y a eu des cas de concurrence assez malheureuse. Il y a eu aussi et surtout une réorganisation de la gendarmerie qui a été faite par la droite et qui, aux dires des usagers de la sécurité, aboutit à une perte de proximité... Comment fait-on alors pour que le service public soit effectivement présent ?

AJ : Occuper le terrain, comme je le souhaite, implique de rationaliser le fonctionnement du service public afin de redéployer des moyens là où ils seront les plus utiles. Rappelons que l'ensemble des forces de l'ordre dépend d'une autorité unique, celle du ministre de l'Intérieur, même si les gendarmes gardent leur statut de militaires. Peut-être faudrait-il aller plus loin dans la mutualisation, par exemple une gestion unifiée du parc automobile ou la mise en commun de moyens techniques onéreux. À mon sens, il est possible d'avoir plus de moyens sur le terrain sans pour autant augmenter les effectifs ou les budgets.

Sur ce sujet, au-delà de cet effort de rationalisation, il est évident que la police et la gendarmerie sont très en retard sur l'utilisation des techniques numériques. Certains commissariats n'ont pas les moyens de localiser leurs véhicules circulant dans un quartier donné. Voilà un problème qu'on pourrait facilement régler grâce à un simple système de géolocalisation ! Ceci permettrait aux services de gagner en réactivité et d'optimiser la couverture du terrain. Mettons donc l'outil numérique à la disposition des forces de police et de gendarmerie pour améliorer leur efficacité. La modernisation des forces de sécurité doit être engagée : je propose le vote d'une loi de programmation visant à faire entrer la police et la gendarmerie dans l'ère des nouvelles technologies. La police aujourd'hui doit être en mesure d'intervenir autrement, de ne pas attendre la commission des faits, mais être capable par l'étude de cartes des infractions commises, l'examen des modes opératoires, de mieux prévenir la commission des faits délictueux ou d'interpeller leurs auteurs en flagrance. De telles mesures peuvent, certes, coûter cher, mais il est possible de réaliser des économies significatives en mutualisant les moyens et en recentrant les forces de l'ordre sur leur cœur de métier, à savoir être présentes sur le terrain et lutter contre les zones de non-droit. De tels objectifs peuvent, à mon sens, être atteints sans engager des recrutements massifs que nous n'avons, de toute façon, pas les moyens de financer.

NP : Paris a accueilli l'an dernier la conférence sur le climat. De nombreux acteurs sur le terrain s'accordent pour dire que les grands sommets internationaux ou les visites officielles mobilisent sur la région de la capitale de grands effectifs chez les forces de l'ordre...

AJ : C'est vrai dans le cas de Paris, mais aussi pour la province, certes à un degré moindre. Des forces de police seront présentes en renfort autour de ce qu'on appelle les *fan zones* de l'Euro 2016. Quoi qu'il en soit, des arbitrages sont à faire. Paris ne va pas cesser d'accueillir les voyages officiels ou les rencontres internationales et céder ainsi à la menace terroriste. Mais on pourrait, parfois, faire le choix protocolaire de davantage de simplicité. Est-ce que les interminables cortèges officiels, avec une circulation bloquée des heures à l'avance, sont vraiment indispensables à l'efficacité de notre diplomatie ? Pour ma part, j'en doute. Les choses se passent différemment dans l'Europe du Nord. C'est une façon d'assurer plus facilement la sécurité mais c'est aussi une autre façon de concevoir la politique.

NP : Si vous accédez aux responsabilités, que comptez-vous faire des ZSP, les zones de sécurité prioritaires ? Utiliser cet outil, les réformer ? Il est d'ailleurs difficile d'en établir le bilan : celui-ci semble mitigé. Les rapports ne sont d'ailleurs pas publiés pour cette raison précise...

AJ : Il existe une ZSP à Bordeaux, dans le quartier de la Benauge. Elle a moins d'un an. Il faudra en faire une évaluation en temps utile. Quoi qu'il en soit, l'idée de renforcer les moyens là où le besoin s'en fait le plus sentir est loin d'être absurde : pourquoi ne pas la garder ? J'ai d'ailleurs demandé, en tant que maire, la création d'une zone de sécurité prioritaire supplémentaire dans un quartier où cela me paraissait nécessaire : je ne l'ai malheureusement pas obtenue. L'État ne peut plus prendre de décisions en la matière sans consulter les communes.

NP : On fait dire aux chiffres ce qu'on veut. Ceux de la sécurité ne sont-ils pas entièrement au service d'une politique de communication ? À chaque nouvelle nomination au ministère de l'Intérieur, on modifie les méthodes de calcul de

l'Observatoire national de la délinquance. En fin de compte, il est impossible d'établir des comparaisons avec ce qui se passait avant.

AJ : L'INSEE vient effectivement de définir une nouvelle méthodologie. C'est un organisme indépendant qui n'est pas sous les ordres du ministre de l'Intérieur. On peut donc espérer que l'approche de ces phénomènes soit la plus objective possible. Pour autant, nous sommes là face à certains des maux qui laissent nos concitoyens déboussolés : le changement de cap permanent, l'instabilité ministérielle, la modification des réglementations. Or, nous avons besoin de lisibilité, de visibilité. S'agissant du cas particulier des statistiques, il n'y a aucune raison de changer de méthodologie en la matière à la moindre alternance politique, alors même qu'il existe un organisme indépendant pour la définir. Ce n'est pas parce que le thermomètre indique que la température monte qu'il faut le casser !

NP : En arrivant à Matignon, Manuel Valls a particulièrement insisté sur la nécessité de régler le cas de Marseille. Pourtant, on continue aujourd'hui à tirer des coups de feu à proximité des écoles de la ville. Comment analysez-vous cet exemple spécifique et que proposez-vous pour y remédier ?

AJ : Les règlements de compte entre malfaiteurs sont le visage le plus visible de la délinquance marseillaise. Le trafic de stupéfiants, de plus en plus développé, s'accompagne d'un recours toujours plus fréquent à la violence et à l'usage des armes pour échapper aux forces de l'ordre, garantir l'impunité des trafiquants, ou encore protéger la marchandise. Ceci contribue à la hausse des règlements de compte, à Marseille de manière spectaculaire, mais aussi dans d'autres villes comme Toulouse. On ne peut que déplorer le nombre de tués dans les règlements de compte. Depuis 2008, 170 personnes ont ainsi été tuées dans la région de Marseille. Le trafic de stupéfiants alimente l'insécurité et la défiance d'une partie de la population vis-à-vis de l'État, notamment dans les territoires les plus pauvres, en particulier dans certains quartiers. Néanmoins, aucune partie de notre territoire n'est désormais épargnée par l'offre et la demande de stupéfiants. D'où la nécessité d'une réponse vigoureuse.

NP : Les hommes politiques sont nombreux à répéter ce discours. Pour autant, que faut-il précisément faire pour empêcher que des kalachnikovs circulent en vente ou pour démanteler les trafics de stupéfiants ? On a l'impression que certains territoires sont perdus…

AJ : Comment tolérer que des bandes se promènent avec des armes lourdes ? Comment imaginer qu'on laisse prospérer sans limite l'économie de la drogue ? Mettre en œuvre tous les moyens nécessaires, à commencer par une réponse policière et une réponse pénale adaptées : voilà la seule riposte possible. Beaucoup est déjà fait, mais on est loin du compte. La lutte contre le trafic de stupéfiants est une activité pro-active des services, qui implique des enquêtes longues et complexes, et est donc influencée par les moyens humains que l'on y consacre et la priorité qui lui est donnée. Il faut donc éviter que les services spécialisés ne soient utilisés pour d'autres missions (type services d'ordre) et renforcer les services de police judiciaire.

NP : On a tout de même l'impression qu'il y a des territoires qui sont perdus…

AJ : C'est précisément pour cela que la police doit être le plus possible sur le terrain ! Mais je voudrais tout de même nuancer les choses, la police obtient des résultats. La police doit pouvoir se consacrer au démantèlement des grands réseaux, à toutes les étapes : le transport et la livraison des marchandises, le maillage des quartiers, où chacun a son rôle, du guetteur de 13 ans à la « nourrice » qui stocke la drogue dans son appartement, et aux caïds régnant sur une zone au su et au vu de tous, sans oublier les consommateurs qui viennent se servir comme on irait au supermarché.

Je propose de modifier le code pénal pour rendre obligatoire, sauf motivation du jugement, le prononcé d'une interdiction de séjour d'un an minimum pour ces dealers sur les lieux (ou la commune) où leur deal a été constaté : rues « sensibles », sortie d'établissements scolaires, etc.

NP : Un mot sur cette question. Certaines personnes, aujourd'hui, défendent la dépénalisation ou la légalisation de la drogue : à les entendre, ce serait la seule façon de casser ces trafics. Quelle est votre position sur ce sujet ?

AJ : Ma position a toujours été claire : je suis contre la dépénalisation. D'aucuns pensent que c'est une hypocrisie, qu'il faudrait, dans ce cas, pénaliser également la consommation abusive d'alcool… N'entrons pas dans ces débats stériles. La consommation de drogue, y compris de cannabis, est un danger pour la société, de différentes manières. Elle est d'abord dangereuse pour la santé de ceux qui s'y adonnent : les drogues, y compris le cannabis, contiennent aujourd'hui des principes actifs de plus en plus nocifs. Le cannabis peut mener vers d'autres drogues encore plus mauvaises pour la santé. Dépénaliser, c'est ouvrir un chemin. Je suis radicalement opposé à ce qu'on le fasse.

NP : La jeunesse française est d'ailleurs la plus grande consommatrice de cannabis en Europe. Ce n'est pas la seule répression qui va régler le problème.

AJ : Évidemment non : il faut de la prévention et de l'éducation. Beaucoup de choses se font à l'initiative des nombreuses associations impliquées dans ce travail. Le système scolaire a également son rôle à jouer : lorsque des policiers viennent dans les classes expliquer la réalité des trafics et les conséquences que peut avoir la consommation de stupéfiants, leurs interventions portent leurs fruits.

Reste la question de la répression, plus compliquée. De fait, il n'y a pas aujourd'hui de répression pour la consommation de stupéfiants car la peine encourue est totalement disproportionnée. Les jeunes qui consomment à la sortie d'un collège sont censés encourir une amende de plusieurs milliers d'euros et une peine de prison. Dans les faits, ils ne sont jamais condamnés à rien, ni même seulement poursuivis. Cela n'a aucun sens ! Ce qu'il faut c'est adapter la réponse pénale afin de la rendre effective et plus efficace. Sur la suggestion de policiers et de magistrats, j'avais envisagé de privilégier non pas les poursuites judiciaires lourdes mais des contraventions pour taper au portefeuille, si j'ose dire. Si un jeune était surpris en train de consommer du cannabis, il se serait vu infliger une amende d'une centaine d'euros, payable sur-le-champ, avec information de la famille. Mais cette proposition suscite le débat, car les associations qui luttent contre les trafics y voient un signal de laxisme. Or c'est précisément l'inverse ! Ce que je veux c'est punir systématiquement, par une amende, au moyen d'une simplification de la procédure.

NP : Ceux qui se sont opposés à cette proposition expliquent que la perspective d'une condamnation est une arme donnée aux parents pour dissuader leurs enfants : ils ont besoin d'avoir l'État derrière eux pour les convaincre.

AJ : Mais, dans les faits, est-ce efficace ?

NP : Manifestement non… Mais est-ce à cause de ça, ou parce que le reste ne l'est pas non plus ?

AJ : C'est évidemment un ensemble de facteurs. Mais si, en réalité, rien ne se passe et que la condamnation pénale est une fiction, cet argument n'est pas très convaincant. D'ailleurs, il ne s'agit pas de renoncer à toute réponse pénale puisque, au bout de deux ou trois contraventions pour usage de drogue, une procédure pénale serait lancée. Je continue de penser que cette approche pourrait être efficace : faire payer effectivement à un jeune

50 ou 100 euros de sa poche et avertir ses parents serait certainement dissuasif.

Il faudrait d'ailleurs procéder de la même façon pour un autre type d'incivilité comme l'occupation illicite des halls d'immeuble. Dans les cités on constate souvent que les rez-de-chaussée des immeubles sont colonisés par des jeunes plus ou moins menaçants, ce qui est très pénible à vivre pour les habitants. Il m'est souvent arrivé de recevoir à Bordeaux des personnes âgées angoissées à l'idée de ne pas pouvoir regagner leur appartement tranquillement : elles étaient obligées de traverser le hall de leur immeuble occupé par des gamins allongés par terre, si ce n'est pire. Même s'il n'y a pas d'agression, une telle situation est intolérable. J'ai donc pris des mesures avec les bailleurs sociaux afin de faire cesser ces pratiques. Dans ce cas précis, on pourrait aussi dresser une contravention de police.

NP : Cette mesure a-t-elle une chance d'être mise en place ? Des dispositions similaires existent, or elles ne sont jamais appliquées : les policiers à qui on demande de le faire risquent souvent de tomber dans des guet-apens, d'essuyer des jets de pierres… On a l'impression qu'il y a un gouffre entre les décisions qui sont prises et leur application sur le terrain.

AJ : C'est une question de volonté politique. Il y a des succès. Je me suis rendu dans un quartier d'Orléans à l'invitation de Serge Grouard, le maire de l'époque. Grâce à un ensemble de dispositifs, et notamment un plan de rénovation urbaine, le taux de délinquance avait baissé de manière spectaculaire. Cet exemple prouve qu'on peut obtenir des résultats à condition de conjuguer tous les moyens possibles avec la mobilisation de tous, à commencer par une vraie coopération entre les élus locaux, en particulier les maires qui sont en contact avec les populations, la police et les familles dont le rôle est crucial. Coordonnons également tous les outils existants : la politique de la ville, les actions des caisses d'allocations familiales…

NP : J'allais y venir. Lorsque vous dites « impliquer les familles », cela veut-il dire aussi supprimer les allocations aux familles qui, objectivement, ne coopèrent pas ou laissent leurs enfants pratiquer des trafics ?

AJ : Oui, clairement, si ces comportements sont avérés. Par exemple en cas d'absentéisme répété à l'école, si les parents sont sourds aux avertissements qu'ils reçoivent, la nécessité de sévir s'impose. On dit qu'une telle mesure pénalise les enfants : c'est d'abord l'absentéisme qui les pénalise sur le long terme ! Je suis donc favorable au retour de la loi

Ciotti et à son extension aux parents de petits trafiquants de drogue.

NP : Éric Ciotti s'était pourtant, à l'époque, fait traiter de tous les noms !

AJ : Pas par moi.

NP : L'existence des trafics de drogue dans les banlieues a permis le développement d'une véritable économie dont vivent d'ailleurs certaines familles. Si le démantèlement des réseaux ne s'accompagne pas d'une revalorisation du travail, cette économie risque de se remettre immédiatement en place.

AJ : L'économie souterraine liée au trafic de drogue est de plus en plus structurée et professionnalisée et liée de manière étroite à des organisations criminelles internationales latino-américaines ou sub-sahariennes. Elle génère en France un chiffre d'affaires annuel estimé à 2 milliards d'euros. Le trafic de drogue est donc très lucratif et attire les jeunes, voire les très jeunes adolescents. Des familles entières vivent désormais des gains du trafic ainsi perçus par leurs enfants. Ne nous résignons pas à voir cette économie prospérer : il faut utiliser toutes les armes dont nous disposons pour la casser.

Voici quelques années, le gouvernement de Jacques Chirac a créé les groupes d'intervention régionaux qui associent la justice, la police mais aussi l'administration fiscale : il faut leur faire jouer pleinement leur rôle pour détecter ces trafics et y mettre un terme. On voit dans certains quartiers des comportements qui mériteraient des signalements : la présence de voitures fort coûteuses devant un simple mobil-home mérite qu'on se demande d'où vient l'argent. Dans ce genre d'affaires, l'approche patrimoniale et fiscale est bien souvent plus efficace que le recours à des sanctions classiques. En 2014, près de 50 millions d'euros d'avoirs criminels ont été saisis dans le cadre d'affaires de stupéfiants à comparer aux 2 milliards d'euros de chiffres d'affaires générés annuellement. Nous pouvons faire mieux. Je plaide donc pour une systématisation de la saisie des avoirs criminels. Encore une fois : pas question de baisser les bras.

Pour le reste vous avez raison, il va sans dire que si le taux de chômage dans les quartiers qui sont gagnés par le trafic de drogue était plus faible qu'il ne l'est aujourd'hui, la lutte contre ces trafics serait beaucoup plus facile. Il s'agit là d'un problème certes plus vaste mais absolument fondamental, qui pose la question de l'école, de la réorganisation de notre économie, du développement des formations en alternance qui sont sans doute la meilleure réponse aux difficultés professionnelles de ces jeunes... La politique de sécurité ce n'est pas seulement la répression même si elle est indispensable. C'est une politique globale qu'il faut conduire.

NP : Dans ces quartiers où l'État se désengage, où les transports ne sont pas suffisants, où les services publics ont disparu, où les pompiers ne pénètrent plus et où les médecins se font braquer, est-ce qu'on doit se contenter d'engloutir des milliards dans des plans de rénovation urbaine ? Ce n'est pas seulement une question de moyens.

AJ : C'est vrai, c'est pourquoi il est absolument nécessaire d'aborder ces questions globalement, par le biais de la politique de l'emploi, de l'éducation, des familles et bien sûr par une politique de sécurité effective. Ainsi, le temps qui s'écoule entre la commission de certaines infractions, la décision du juge et l'effectivité de la peine peut être supérieur à douze mois ! Or, pendant tout ce temps-là, le jeune est dans son quartier, condamné mais tranquillement chez lui, entouré de ses copains, avec l'exemplarité que vous pouvez imaginer… Il faut réformer en profondeur la procédure pénale pour que les décisions soient prises rapidement et appliquées tout aussi rapidement.

NP : Un mot de l'action des maires. Que pensez-vous du développement de certaines

polices municipales, comme à Nice ou dans d'autres villes de France ? Faut-il donner aux maires un moyen d'action supplémentaire pour agir localement ou laisser la police nationale rester maîtresse du jeu ?

AJ : Chacune doit intervenir mais dans le cadre de ses missions propres. Coopération ne veut pas dire substitution ! L'ordre public, lorsqu'il s'agit d'aller dans des quartiers à risque, doit évidemment être assuré par la police ou la gendarmerie nationales. En revanche, la police municipale peut avoir un rôle de sécurisation, en effectuant notamment des patrouilles : elle est donc nécessaire. Cependant, les collectivités territoriales n'ont aujourd'hui pas les moyens d'avoir des polices municipales à la hauteur des enjeux en termes d'effectifs. 80 % des polices municipales disposent de moins de 5 policiers. Par ailleurs il est important de donner aux polices municipales les moyens de leur protection. Sans doute faut-il les armer mais ce choix doit rester à la discrétion des maires. J'ai équipé les policiers municipaux bordelais de tasers, une arme efficace et réputée non létale, afin qu'ils puissent se défendre lorsqu'ils sont agressés.

NP : Car ils le sont ! D'autant plus qu'un délinquant, un braqueur, n'opère pas la distinction entre un policier national et un policier municipal...

AJ : Il faut également une convention précise entre la police municipale et la police ou gendarmerie nationale pour savoir, ville par ville, qui fait quoi. Plusieurs municipalités, comme Bordeaux, ont signé ce dispositif qui permet véritablement de délimiter les missions de chacun. On peut estimer que la police nationale est faite pour aller dans les quartiers difficiles plutôt que pour faire la circulation aux carrefours. Je crois enfin indispensable d'assurer une formation préalable des policiers municipaux (et non après recrutement comme c'est le cas aujourd'hui) et de leur donner accès à des fichiers tels que le fichier des véhicules volés.

Justice et politique pénale

NP : Au-delà de la question des places en milieu carcéral, c'est surtout le temps nécessaire à la justice pour faire son œuvre qui pose problème. Les policiers se plaignent de voir les délinquants qu'ils arrêtent remis en liberté le temps que leur affaire soit jugée ou à cause d'un vice de procédure. Que faire contre cette inflation administrative et ce manque de moyens dont souffre la justice ?

AJ : Soyons clairs : la justice manque de moyens. Elle est sous-équipée techniquement. Il s'agira, là aussi, d'un choix politique et budgétaire : les 7 milliards d'euros alloués à la justice représentent une part infime du budget de l'État qui s'élève, lui, à 374 milliards d'euros. Augmenter les moyens de ce ministère ne mettra pas en péril les finances publiques : cela sera même nécessaire si on veut avoir une réponse pénale adaptée. Il faudra donc fournir les efforts nécessaires dans ce domaine.

Au-delà de la question des moyens, il est également impératif de revenir à une législation forte et stricte pour lutter contre la récidive. Il m'apparaît indispensable de rétablir la distinction entre récidivistes et primo-délinquants mise à mal par la loi du 15 août 2014 : l'aménagement de la peine ne doit plus être le principe et la peine d'emprisonnement l'exception en cas de récidive légale comme le prévoit la loi Taubira. De même, je veux rétablir les peines planchers et la révocation automatique du sursis en cas de récidive. Lutter contre la récidive nécessite d'envoyer des signaux forts.

Enfin et surtout la question de l'exécution de la peine prononcée est essentielle : 70 % des peines prononcées ne sont que partiellement exécutées parce qu'elles sont diminuées soit par érosion automatique soit par l'octroi d'un aménagement par le juge d'application des peines. Les condamnés considèrent l'aménagement comme un dû et non comme une incitation à l'effort. Les aménagements de peines les plus coercitifs (en particulier, la semiliberté et le placement extérieur) sont peu à peu négligés, au profit d'autres moins coercitifs comme le bracelet électronique.

Cette situation ne peut plus durer. Je propose par conséquent deux choses : abaisser le seuil de la peine d'emprisonnement au-delà duquel on ne peut aménager une peine de prison. Il est aujourd'hui fixé à deux ans et à un an pour les récidivistes : je souhaite le ramener à un an et à six mois en cas de récidive.

Je veux surtout que les décisions de justice soient pleinement respectées. Nos concitoyens comme les forces de l'ordre ne comprennent pas qu'un condamné à 5 ans de prison ne passe que 3 années derrière les barreaux. Je veux donc supprimer les réductions automatiques de peine et qu'un condamné à 5 ans effectue sa peine sans réduction automatique. Cela aurait peut-être empêché la personne que vous évoquiez de sortir de prison. La législation et la pratique doivent vraiment être durcies pour assurer l'effectivité des peines. Une peine de prison doit être réellement exécutée sous forme d'incarcération. Les décisions des tribunaux doivent être mises en œuvre. Il en va de la crédibilité de la Justice et de la réponse pénale.

En outre, depuis 2012, la politique pénale de Mme Taubira se fonde sur un constat en lui-même incontestable, qui est la surpopulation carcérale puisque nous ne disposons que de 57 000 places pour 67 000 détenus. Il manque donc beaucoup de places dans les prisons et certaines conditions d'incarcération sont scandaleuses et dénoncées aussi bien par le contrôleur général des lieux de privation de liberté que par la Cour européenne des droits de l'homme. On peut tirer de ce constat deux conséquences exactement opposées. La première est de mettre moins de gens en prison : c'est la ligne de Mme Taubira. La seconde est d'augmenter la capacité des prisons. Il convient, sur la durée nécessaire, de créer au moins 10 000 places supplémentaires et peut-être davantage.

NP : 10 000 places ne suffiront pas ! La France est d'ailleurs largement en dessous des moyennes de taux d'incarcération en Europe !

AJ : Absolument. Mais si l'on en construit 10 000, il s'agira là d'un progrès significatif dans la mesure où, comme vous le soulignez, la France a un taux d'incarcération beaucoup plus faible (103 pour 100 000 habitants) que d'autres démocraties, je pense ici au Royaume-Uni, à l'Espagne ou même à l'Allemagne. La moyenne européenne est de 139 détenus. Nous en sommes très loin !

Changeons de philosophie sur la question ! Certaines personnes méritent d'aller en prison pour être remises dans le droit chemin et, surtout, pour protéger la société. Il faut donc se doter du nombre de places de prison nécessaires : c'est un choix stratégique, politique.

Sur le volet de la prévention, il faut renforcer l'évaluation des condamnés, en particulier des individus dangereux. Cela passe par le développement d'une évaluation professionnalisée et pluridisciplinaire (et pas seulement psychiatrique) s'appuyant sur des outils standardisés. Je propose de créer un centre d'évaluation dans le ressort de chaque direction interrégionale des services pénitentiaires. Aujourd'hui il n'existe que trois sites pour tout le territoire, c'est insuffisant. En outre, nous ne favorisons pas assez la réinsertion des détenus, notamment professionnelle alors même que celle-ci est indispensable pour reprendre pied dans la société. Je souhaite donc faciliter la réinsertion dans la vie active des détenus en créant une agence pour l'emploi qui aurait pour mission de développer le travail dans les prisons et d'accompagner les détenus à leur sortie dans la recherche d'un emploi.

NP : Que vont devenir les peines de probation et les alternatives à la prison qui sont développées aujourd'hui, comme l'usage des bracelets électroniques ? Les gens ont du mal à les percevoir comme de véritables peines : pour beaucoup, la justice ne « punit » pas les coupables. Comment répondre aux attentes des victimes ?

AJ : Faisons preuve de bon sens : la seule réponse pénale n'est pas forcément la prison dans tous les cas de figure. Des peines alternatives comme le port d'un bracelet électronique peuvent être appliquées, à condition de ne pas aller trop loin dans l'invention de ces peines de substitution : la contrainte pénale, notamment, a été mal calibrée. Un magistrat disait tout récemment que cela revenait à installer un ordinateur sophistiqué dans une 2 CV. Et pour cause : l'administration pénitentiaire et la police n'ont pas les moyens de vérifier que les personnes placées sous contrainte pénale respectent ce qui leur est imposé. Il faut donc être plus restrictif avec ces méthodes alternatives, modifier les dispositifs de réaménagement des peines et se donner les moyens de mieux contrôler l'application des peines de substitution. En tout état de cause je ne peux accepter qu'un condamné à 2 ans de prison ne passe pas un jour sous les verrous !

NP : Mais comment faites-vous avec des juges d'application des peines qui parfois remettent en cause ce qui a été jugé par le tribunal ? Car il y a véritablement un gouffre entre l'action du juge d'application des peines et ce qu'attendent les Français de la Justice !

AJ : Pas toujours. Ce sont des cas d'espèce et il y a aussi des parquets qui « font leur boulot ». Il faut avant tout encadrer, je le répète, les conditions dans lesquelles les juges d'application des peines peuvent aménager les peines.

NP : La question de la justice des mineurs est absolument cruciale. Faut-il revenir sur le traitement qui en a été fait depuis toujours en France ?

AJ : L'ordonnance de 1945 a été modifiée un nombre incalculable de fois : il ne s'agit donc pas d'une loi intangible. Des choses sont à faire dans ce domaine : la délinquance des mineurs ne cesse d'augmenter, elle devient de plus en plus violente et précoce. Par conséquent, plusieurs réformes s'imposent pour éviter certaines confusions. À titre d'exemple, le juge pour les mineurs délinquants qui accompagne le jeune en difficulté est aussi celui qui prononce la sanction au pénal : il faut distinguer les deux. Séparer strictement justice civile et justice pénale permettrait de sortir de la confusion des rôles du juge protecteur et du juge qui condamne qui est mal comprise par les mineurs et leur famille.

L'organisation de la justice des mineurs doit aussi devenir plus lisible. Il faut faire du tribunal pour enfants une véritable juridiction présidée par un magistrat ayant l'autorité incontestable pour prononcer une peine.

À mon sens, il faut également durcir le régime des peines. Il n'existe pas aujourd'hui de limite à ce qu'on appelle les mesures éducatives. Pourquoi ne pas basculer, après deux ou trois rappels à la loi, vers une sanction éducative ou une peine qui pourrait épauler l'action des familles, comme un travail d'intérêt général ? Il faut éviter que ne se développe chez le mineur un sentiment d'impunité et de toute-puissance. Par ailleurs, une série de structures d'accueil ont été créées à destination de ces délinquants mineurs, comme les centres éducatifs fermés et les centres éducatifs renforcés. Le taux de récidive des jeunes qui y sont placés est néanmoins élevé : il atteint 85 % alors que le coût par jour et par adolescent s'établit entre 600 et 800 euros. Un bilan approfondi s'impose donc : il faudra évaluer ces structures, afin de déterminer ce qui marche ou non.

NP : Huit à dix adultes sont parfois nécessaires pour encadrer un mineur dans ces centres éducatifs. Outre le coût qu'elles représentent, ces structures n'arrivent toujours pas à retenir les jeunes. François Hollande avait annoncé sa volonté de développer ces centres éducatifs fermés pour répondre aux demandes de la population : Christiane Taubira s'y est opposée. Allez-vous vous appuyer sur ces structures ?

AJ : Elles me paraissent indispensables. La rue ou la prison ne sont pas les seules alternatives possibles : il faut trouver une réponse adaptée à ces mineurs. Le besoin de centres spécialisés est évident. Après une phase d'évaluation, je souhaite développer les structures qui auront été jugées les plus efficaces et les plus adaptées. Cela a un coût mais l'encadrement des mineurs est une priorité.

Parallèlement, la prévention et l'accompagnement doivent être renforcés. La plupart de ces mineurs se trouvent en effet dans des conditions économiques, sociales et familiales dramatiques qui ont un lien direct avec leur entrée dans la délinquance. 75 % des passages à l'acte délinquant sont le fait de mineurs maltraités (violences physiques, psychologiques ou effets des violences conjugales vécues). Or l'aide sociale à l'enfance en France est aujourd'hui atomisée puisqu'elle est de la compétence des départements : il faudra lui donner davantage de cohérence par le biais d'une orientation nationale qui fixera ses grands objectifs. Les réponses à ces problèmes pourront ainsi être harmonisées.

NP : Quel est votre point de vue sur les établissements publics d'insertion de la Défense, les EPIDE ? Leurs résultats sont extrêmement positifs…

AJ : À l'image de l'EPIDE de Bordeaux où les jeunes en difficulté apprennent à suivre un programme rigoureux et à observer une discipline certaine, ce dispositif fonctionne effectivement très bien. Certes, ces structures sont coûteuses et impliquent parfois la présence d'officiers à la retraite ou de cadres de réserve pour encadrer les mineurs, mais les évaluations qui ont été menées ont donné de bons résultats.

NP : Vous avez abrogé le service militaire obligatoire. Aviez-vous mesuré les conséquences que cette décision pouvait avoir en termes de cohésion sociale et nationale ?

AJ : Je sais qu'on me reproche cette mesure. Pourtant, si c'était à refaire, je le referais : notre Défense nationale ne peut pas aujourd'hui gérer 700 000 jeunes puisqu'il faut considérer l'ensemble d'une classe d'âge, les garçons et les filles. Une armée moderne n'a pas besoin de conscrits : elle est formée de professionnels capables de se déployer au Mali ou en Irak. Bref, le retour du service militaire dans sa forme ancienne est inenvisageable et je suis surpris de voir que des gens de ma génération veulent l'imposer à la jeune génération. Vous évoquiez d'ailleurs l'influence du service militaire sur la cohésion nationale. Cependant, combien se débrouillaient pour être exemptés quitte à demander aux élus locaux d'intervenir ? Il faut dire la vérité : cette nostalgie d'un melting-pot efficace tient plus de la mythologie qu'autre chose.

Néanmoins, j'avais bien mesuré les risques que cette décision comportait puisque j'avais proposé en 1995-1996 la création d'un service civique national. Nous n'avons pas les moyens de le rendre obligatoire pour toute une génération : impossible d'encadrer 700 000 jeunes chaque année. En revanche, renforçons le service civique tel qu'il existe aujourd'hui pour qu'il regroupe entre 100 000 et 150 000 jeunes. Permettez-moi aussi d'ajouter qu'en la matière, nous vivons sur une idée du siècle dernier. L'acquisition des valeurs (apprendre ce qu'est la République, le lien social) ne se fait pas à 18 ans, mais doit être portée par l'école, sur le temps long. Il s'agit là d'une des quatre missions fondamentales du système scolaire avec la formation de l'esprit critique, l'acquisition des savoirs et la préparation à la vie professionnelle.

NP : La volonté politique, il y a déjà quelque temps que des politiques la promettent... Précisément depuis qu'ils y ont renoncé. Comment comptez-vous prouver que vous vous donnerez les moyens de réussir ? D'aucuns vous accusent de laxisme en matière de sécurité. Comment

pensez-vous faire entendre votre voix sur ces questions ?

AJ : Laxiste ? Venez à Bordeaux, vous verrez si c'est la jungle ! Nous ne pouvons admettre aucun laxisme. Continuons sur la voie de la faiblesse et le successeur du prochain président de la République sera Marine Le Pen ! Nous sommes au pied du mur. Les propositions que j'avance ici ne reflètent pas le moindre laxisme. Pour autant les Français n'attendent pas qu'on leur vende des mesures extrêmes ou irréalistes. Ils ont besoin d'être apaisés et sécurisés, d'avoir confiance : un discours construit, cohérent et audacieux sur certains points vaut mieux que des promesses inconsidérées. Je veux leur inspirer confiance sans laxisme mais sans démagogie. Ouvert, non sectaire, mais ferme et volontariste : telle sera ma ligne.

NP : Certes, vous prêtez attention aussi bien à l'éducation et à la prévention qu'à la répression. Néanmoins, la perception par l'opinion des questions de sécurité et de justice est épidermique. Beaucoup de gens souffrent, subissent des choses qu'on ne supporterait sans doute pas dans les quartiers favorisés mais qu'on accepte là où ils vivent. Parallèlement à la réponse technique et précise qu'il faut apporter à ces problèmes, peut-être y a-t-il une façon de s'adresser à eux pour

que le message soit audible... Que répondez-vous à ceux qui se sentent complètement abandonnés ?

AJ : Je tiens à leur dire que je les comprends, que je les respecte, que j'ai pleinement conscience de ce qu'ils vivent, et que je serai à leurs côtés pour changer les choses. Non pas en faisant des déclarations tonitruantes, mais en mettant en œuvre, sans faiblir, mes propositions. Se contenter d'affirmer des objectifs politiques sans propositions concrètes, c'est le risque de tomber dans la démagogie. Les moyens, y compris techniques, doivent pouvoir être exposés sinon le risque est grand que le discours demeure purement incantatoire.

NP : Mais ceux qui subissent les incivilités et les violences ne se sentent pas entendus. On se fait rapidement traiter de réactionnaire, y compris par des personnels de justice, quand on rappelle qu'il existe aujourd'hui un profond sentiment d'injustice.

AJ : Il n'y a rien de réactionnaire à vouloir prendre en compte le sentiment d'injustice dont souffrent les victimes. Mais la meilleure manière de le faire, c'est de se montrer efficace et d'apporter les réponses policières et pénales adaptées.

NP : D'aucuns sont, petit à petit, tentés de faire justice eux-mêmes. Ce phénomène vous paraît-il inquiétant ?

AJ : Bien sûr, car c'est la négation même de la civilisation, de la République, de l'État de droit. C'est précisément le sentiment d'abandon qui entraîne certains de nos concitoyens vers de telles extrémités. Plus la police est efficace et mieux la justice fonctionne, moins les citoyens sont tentés d'agir par eux-mêmes. Pour autant, rendre justice, ce n'est pas céder à toutes les pressions de l'opinion. À titre d'exemple, rien ne pourrait justifier à mes yeux le rétablissement de la peine de mort, que demandent certains.

NP : En 2013, on a beaucoup parlé de ce bijoutier de Nice qui avait tiré sur l'homme qui venait de le braquer avec un fusil à pompe et de le frapper à coups de pieds et de poings. Il est devenu un héros sur les réseaux sociaux. Mais dans les médias, on a bientôt lu qu'il était un meurtrier et il a été mis en examen pour homicide volontaire. Régulièrement, on a ces débats autour de la légitime défense et de l'action civique. C'est à la police de gérer cela, ou bien les citoyens doivent s'impliquer ?

AJ : J'ai certes parlé de participation citoyenne, mais bien évidemment il ne s'agit pas de tirer au pistolet sur quelqu'un alors qu'on n'est pas en situation de légitime défense. C'est d'ailleurs toute la question. La situation que vous évoquez est presque un cas d'école : fallait-il agir ou laisser faire ? La justice a considéré que le bijoutier n'était pas en état de légitime défense car il avait tiré sur son agresseur dans le dos pendant sa fuite. Cela aurait été différent s'ils avaient été face à face. C'est d'ailleurs ce qui s'est passé à Sézanne dans la Marne et le bijoutier n'a pas été condamné.

Parfois, évidemment, la frontière entre légitime défense et justice personnelle est ténue, ce qui peut justifier des poursuites à l'encontre de celui qui « se fait justice ». Il faut naturellement tenir compte de l'émotion que suscitent ces affaires complexes dans l'opinion et éviter, surtout dans ce cas plus encore, que la justice ne traîne en longueur. Il est important à cet égard que les procureurs communiquent largement sur les faits les plus graves pour rendre compte de l'avancée des investigations.

NP : Les juges en ont-ils seulement conscience ? Je pense à l'affaire du « mur des cons » : on s'est aperçu qu'aux yeux d'un syndicat de magistrats (censés être neutres), toute personne critiquant le fonctionnement de la justice et les décisions rendues devait symboliquement être clouée au pilori.

AJ : Gardons-nous de généraliser. Beaucoup de juges sont parfaitement conscients de ce qui se passe et sont les premiers à souffrir des dysfonctionnements de la justice. Le monde judiciaire, comme toutes les catégories sociales et professionnelles, est hétérogène : les comportements tout à fait inacceptables auxquels vous faites allusion étaient le fait d'un syndicat en particulier, lequel a d'ailleurs été poursuivi dans cette affaire. Une personne censée rendre la justice au nom du peuple français ne peut pas la rendre au nom de ses convictions politiques personnelles.

Une question demeure : qu'est-ce que la responsabilité d'un juge ? Les intéressés répondent qu'il s'agit d'une mission, d'un engagement à rendre la justice au nom du peuple français en toute indépendance. Mais qui vérifie et qui sanctionne ? La question pourrait être réglée en élisant les juges, comme aux États-Unis ou dans d'autres pays. Seulement, imaginez un instant une campagne électorale entre des juges de droite et des juges de gauche… Ce serait une façon de politiser la justice : je suis opposé à cette idée. Il faut donc trouver des réponses à ces questions dans la déontologie, l'éthique et dans les procédures lancées par le Conseil supérieur de la magistrature qui a vocation à faire respecter ces valeurs. Toutefois, chaque corporation ayant tendance à se protéger, il faut veiller à ce que la majorité des membres du CSM soit extérieure au monde judiciaire. Cela s'est déjà fait, d'ailleurs.

NP : Pensez-vous qu'une indépendance du Parquet pourrait améliorer le fonctionnement de la justice, lui permettre d'être totalement libre ?

AJ : Je pense qu'il appartient au Garde des sceaux de définir la politique pénale du pays : c'est le rôle du gouvernement et du Parlement, pas celui d'un hypothétique procureur de la Nation. Quant au degré d'indépendance du Parquet, ses membres sont nommés *de facto* comme des juges du siège : on suit régulièrement l'avis du CSM. Il faut à mon sens inscrire cette pratique dans la loi pour que nul n'ait de doute sur les conditions d'indépendance dans lesquelles sont nommés les membres du Parquet.

Cela n'empêche pas qu'ils doivent appliquer les directives générales indiquées par le ministre de la Justice autour des priorités que sont le démantèlement des trafics de drogue, la déradicalisation de certains individus, etc. Ces orientations relèvent de la responsabilité politique et les procureurs doivent mettre en œuvre les orientations ainsi définies. S'agissant des juges je suis très soucieux de leur indépendance. Je sais que c'est une attente forte de l'opinion. Je ne souhaite pas remettre en question l'existence du juge d'instruction.

Immigration

Natacha Polony : Les Français entendent dire depuis des années que notre pays est une terre d'accueil, que l'immigration est une chance et qu'il faut, par conséquent, accepter de voir notre société changer de visage. Que pensez-vous de ces affirmations ?

Alain Juppé : Que la France soit, historiquement, une terre d'immigration me semble une évidence. Dès le XVIIIe siècle, et même avant, notre pays a connu des arrivées successives de populations venues d'ailleurs. Des historiens ont même estimé qu'au début du XXe siècle, notre pays recevait plus d'immigrés que les États-Unis. Leur intégration est loin d'avoir été aussi facile que l'on veut bien le dire aujourd'hui. Nombre d'entre eux étaient stigmatisés, comme les Italiens ou les Polonais. Au-delà de ces considérations historiques, je trouve que l'immigration a plutôt été une source de pluralité pour la société française. Cependant, la France n'a plus, aujourd'hui, ni les moyens ni la volonté d'accueillir toute l'immigration qui se presse à ses frontières. Il me semble d'ailleurs nécessaire de faire une distinction entre l'immigration illégale et l'immigration légale : l'une est un fléau que nous devons combattre avec plus de fermeté qu'à l'heure actuelle, l'autre doit être encadrée en tenant compte des possibilités qui sont les nôtres.

NP : On a pourtant l'impression que le discours autour de l'immigration tend à faire accepter aux Français un système qu'ils n'ont pas choisi. Et s'ils manifestent leur mécontentement, on les traite de racistes.

AJ : Un tel discours engage uniquement ceux qui le tiennent. Pour ma part, je me contente de préciser que notre société n'est pas parfaitement homogène. Et pour cause : elle a été composée d'apports successifs depuis le XIXe siècle. Entendons-nous : continuer à dire, sur la base de ce qui s'est passé depuis deux cents ans, que la France doit continuer de s'ouvrir à toute l'immigration est absurde. Entre-temps, la situation a largement évolué. Si, au début des années 1960, la France a fait venir une main-d'œuvre algérienne pour répondre aux besoins de l'industrie automobile, les conditions dans lesquelles se trouve maintenant notre pays sont radicalement différentes. Ce qui était vrai hier ne l'est plus aujourd'hui. La France a le droit de décider qui entre sur son territoire : c'est une partie intégrante de la définition de notre souveraineté.

NP : Je vous posais cette question car vous avez appartenu à un RPR qui, par la voix de Jacques Chirac, avait eu des mots malheureux sur le bruit et l'odeur, qui prônait également une « immigration zéro ». Aujourd'hui, pensez-vous avoir changé ?

AJ : Peut-être. Mais que les choses soient claires, de la façon dont je vois les choses, je n'ai jamais cru en l'immigration zéro, qui n'est absolument pas réaliste.

NP : Il semble pourtant que la France n'a, aujourd'hui, ni le droit ni la possibilité de décider de qui rentre sur son territoire. Vous évoquiez à l'instant la question de l'immigration légale. On se souvient que le précédent gouvernement prônait une immigration choisie, avec des quotas par professions. Faut-il procéder de la même manière ?

AJ : La France a parfaitement le droit de le faire ! En 2014, 220 000 titres de premier séjour (soit une augmentation de 11 % par rapport à 2006) ont été accordés par les autorités françaises : 45 % au nom du regroupement familial, 30 % aux étudiants et 9 % aux personnes venues travailler en France. Ce chiffre montre que beaucoup de gens choisissent d'entrer en France de façon légale :

nous devons continuer de contrôler cette immigration légale et la réduire à proportion de nos capacités d'accueil. Organisons un débat annuel au Parlement, sur proposition du gouvernement, afin de fixer des objectifs quantitatifs permettant de déterminer combien de personnes pourront être accueillies essentiellement au titre de l'immigration économique (puisqu'elle est, en un sens, plus facile à réguler).

Pourquoi ne pas nous inspirer également du système canadien ? Là-bas, afin de déterminer le profil des étrangers dont l'économie a besoin pour fonctionner, l'attribution d'un titre de séjour professionnel est conditionnée par des critères dont le respect rapporte un certain nombre de points. Parmi eux : la compétence en français (pour le Québec), le niveau d'études, le niveau d'expérience, l'âge et l'adaptabilité.

À mon sens, un système à points de même nature, reposant sur des critères objectifs, mériterait d'être instauré en France, dans la mesure où nous accueillons aujourd'hui une immigration professionnelle non régulée, trop peu qualifiée ou ne correspondant pas aux offres d'emploi non pourvues. Définir les secteurs en tension où il est nécessaire de recruter de nouveaux arrivants nous permettra de mieux intégrer professionnellement les étrangers. Il va sans dire que cette politique d'objectifs chiffrés sera adaptée année après année en fonction de l'évolution du marché du travail et des besoins de l'économie française.

NP : Et vous pensez cela possible ? Lorsque Nicolas Sarkozy avait défendu l'immigration choisie, on avait pourtant assisté à des levées de boucliers…

AJ : Pour ma part, je ne me suis pas insurgé contre cela et ce n'est d'ailleurs pas la première fois que je mets en avant le principe d'objectifs quantitatifs. L'immigration ne doit pas faire l'objet d'une approche idéologique mais pragmatique. Le maître mot doit donc être « adaptation » : à nos besoins, à notre situation économique.

Par ailleurs, le regroupement familial, qui représente quasiment la moitié des titres de séjour attribués en France, doit être encadré plus strictement. Rappelons que pour être autorisé à accueillir sa famille en France, le demandeur doit disposer de ressources stables et suffisantes pour subvenir aux besoins de sa famille. À mon sens, le calcul de ces ressources devrait uniquement prendre en compte le salaire du demandeur et exclure tout type d'allocation et non une partie seulement. L'immigration familiale serait beaucoup moins nombreuse qu'elle ne l'est aujourd'hui si on faisait davantage respecter ces critères, et la part qu'elle représente diminuerait dans les titres de séjour accordés. La maîtrise de la langue doit être vérifiée.

NP : On voit aujourd'hui à Mayotte ou en Guyane des étrangers tenter d'entrer sur le territoire français dans des conditions épouvantables. Cette situation est directement liée au droit du sol, un droit du sol qui a été décidé il y a plus d'un siècle, à une époque où les conditions étaient radicalement différentes. Ne faudrait-il pas le faire évoluer ?

AJ : Les régions que vous évoquez sont effectivement confrontées à un problème bien spécifique et qui ne peut être généralisé à l'ensemble du territoire. En réalité, environ 30 000 jeunes obtiennent chaque année la nationalité française par ce biais.

Pour ma part, je ne suis pas favorable à ce qu'on rouvre le débat sur le droit du sol qui serait avant tout idéologique, même si ses conditions d'application mériteraient d'être redéfinies. J'ai évoqué la possibilité de ne pas naturaliser automatiquement les enfants nés en France si l'un des parents était en situation irrégulière. Le droit du sol et le droit du sang doivent pouvoir continuer de cohabiter en France. Entendons-nous : le droit du sol n'est pas à l'origine de l'afflux de clandestins ou de demandeurs d'asile que nous connaissons aujourd'hui.

NP : Non, mais c'est un problème qui découle naturellement de l'immigration illégale...

AJ : Il s'agit là d'un biais visant à idéologiser un débat qui devrait rester sur des faits ! La situation spécifique de Mayotte et de la Guyane doit, certes, être résolue mais ne nécessite pas d'abattre un système qui fonctionne. Ce n'est pas le droit du sol qui pose problème mais son détournement dans certains territoires, détournement que nous devons impérativement régler.

NP : Comment faire face à la crise actuelle des migrants ? Certaines associations disent qu'il est aujourd'hui impossible d'accueillir les réfugiés car il n'y a déjà plus de place dans les structures d'accueil.

AJ : Nous sommes effectivement confrontés à une crise d'une ampleur exceptionnelle. L'afflux massif de populations lié à la guerre au Proche-Orient, avec, parmi eux, 4 millions de Syriens chassés de chez eux, change profondément la nature du problème. De fait, il est impératif de distinguer, au sein des mouvements de populations actuels, les migrants économiques et les réfugiés, qui relèvent du droit d'asile.

NP : Comment fait-on pour opérer cette distinction qui paraît, dans les faits, difficile ? S'agissant notamment de la question de l'usurpation de nationalité ou encore de l'immigration venue des Balkans.

AJ : C'est le sens de la proposition faite par François Hollande et Angela Merkel d'installer aux frontières extérieures de la zone Schengen des centres appelés *hot spots* où seront identifiés les migrants qui relèvent du droit d'asile et ceux qui n'en relèvent pas. Il est devenu urgent de passer du discours aux actes et de les créer.

Pour y parvenir, il me semble nécessaire que les pays de la zone Schengen établissent ensemble une liste des pays d'origine considérés comme sûrs (cela réduit les procédures et permet l'éloignement avant décision de la Cour nationale du droit d'asile). On éviterait ainsi que le système des demandes d'asile soit utilisé à des fins d'immigration économique par des personnes venues, notamment, d'Europe de l'Est. C'est crucial : un demandeur d'asile est autorisé à rester jusqu'à deux ans en Europe sans pouvoir être éloigné ! Rappelons que pendant les cinq premiers mois de l'année 2015, le premier pays d'origine des personnes demandant l'asile en France était le Kosovo, bien avant la Syrie ! Voilà pourquoi l'Europe aurait tout intérêt à faire preuve d'une plus grande volonté politique vis-à-vis d'États de la péninsule balkanique. S'ils veulent continuer à recevoir des aides de l'Union européenne, ces pays devraient s'engager à améliorer les conditions de vie de certaines populations (je pense ici aux Roms). Malheureusement, l'Europe préfère actuellement réfléchir à la répartition des nouveaux arrivants déjà présents sur son territoire plutôt qu'à la façon d'endiguer cette crise, qu'elle n'a pas su éviter. Je veux par ailleurs que l'on prête une attention toute particulière aux chrétiens d'Orient qui sont souvent martyrisés et que nous devons protéger et accueillir aussi.

NP : L'Allemagne décide unilatéralement de restaurer sa souveraineté en fermant ses frontières après avoir provoqué un appel d'air massif par des déclarations irresponsables. C'est l'Europe à géométrie variable ?

AJ : Permettez-moi d'abord de rappeler que Schengen autorise chacun de ses membres à rétablir des contrôles aux frontières pendant une durée maximale de six mois en cas de menaces pour l'ordre public ou la sécurité, période qui peut être étendue à deux ans quand des circonstances exceptionnelles l'exigent. Ce second cas a été introduit à la demande de la France, qui avait dû faire face à un afflux de migrants en 2011 à la frontière italienne suite au printemps arabe. Plus récemment, on a assisté à une multiplication des contrôles à la frontière autour de Vintimille. Et nous venons de le faire suite aux attentats de novembre. Par conséquent, cessons d'adresser des critiques aux uns et aux autres car nous ne sommes certainement pas à l'abri de tout reproche. Renoncer au principe de libre circulation, auquel nos concitoyens sont très attachés, mettre à mal ce que nous avons construit pendant cinquante ans avec nos partenaires européens serait lamentable et dangereux. La guerre était hier dans les Balkans, elle est aujourd'hui en Ukraine : ce n'est pas si loin ! Ne jouons pas avec le feu, et tâchons de concevoir une politique européenne ensemble !

Je le répète : le problème principal de l'espace Schengen, qu'il faut remettre à plat, tient au fait que nous sommes incapables de contrôler ses frontières extérieures. Et pour cause : il n'existe à l'heure actuelle aucun pilotage politique de la zone Schengen, qui est censée être dirigée par le Conseil « Justice et affaires intérieures », en charge de multiples sujets. Il faut créer une instance dédiée sur le modèle de l'Eurogroupe avec, à sa tête, un président, pour la piloter. Développons également une véritable police des frontières européennes pour agir là où le besoin s'en fait le plus sentir. Je pense ici à la Grèce, où ont transité, en 2012, jusqu'à 90 % des immigrés en situation illégale, mais aussi au sud de l'Italie. Hélas, les dirigeants européens ne semblent pas prendre la mesure de ces enjeux.

NP : C'est tout le problème ! Si vous n'avez pas entendu cela dans le discours des dirigeants européens, comment pouvez-vous croire que vous arriverez à faire valoir une politique commune européenne quand d'autres pays d'Europe n'en veulent pas ou n'ont, en tout cas, aucune intention d'abandonner leur souveraineté ?

AJ : Vous le dites vous-même ! Les États conservent l'essentiel de leur souveraineté. La plupart de nos partenaires sont conscients que nous devons aujourd'hui faire fonctionner un contrôle efficace de nos frontières extérieures. Mais nous sommes incapables d'y parvenir collectivement et nous refusons à Frontex les moyens budgétaires, humains, juridiques de le faire. Certes le budget de l'agence vient enfin d'être augmenté. Mais sait-on que ses personnels enregistrent les nouveaux arrivants… mais n'ont pas compétence pour accéder aux fichiers de police qui restent sous la souveraineté des États ! Devant cette carence, certains pays ont choisi de contrôler eux-mêmes leur frontière extérieure, comme la Hongrie envers la Serbie. Le choix est désormais clair : ou prendre les mesures nécessaires pour instaurer un contrôle européen de nos frontières extérieures, ou renoncer à liberté de circulation à l'intérieur de l'Union ! La France aurait dû donner de la voix sur cette question. Elle est restée trop longtemps atone.

NP : Arrêtons-nous un instant sur les mesures d'éloignement prononcées à l'encontre d'étrangers en situation irrégulière. 19 % sont effectives pour les non-Européens et 43 % pour les Européens qui, eux, peuvent revenir immédiatement en vertu du principe de libre circulation. Qui entre en France n'en sort plus. Nous avons renoncé à notre souveraineté…

AJ : Cette question n'a pas été traitée efficacement depuis des années. Il est impératif d'augmenter le taux d'exécution des Obligations de quitter le territoire français (OQTF) et d'apporter un soutien sans ambiguïté aux services chargés de mettre en œuvre ces décisions délicates. Précisons qu'un quart des OQTF concerne des demandeurs d'asile déboutés. On peut d'ailleurs regretter que les législations européennes ne soient pas réellement harmonisées. Un effort a été fourni dans ce sens l'année dernière avec le « paquet asile » : cet ensemble de réglementations adoptées à l'initiative de la Commission européenne est un premier pas vers une harmonisation. Mais beaucoup de choses restent à faire : je pense notamment aux allocations versées aux demandeurs d'asile, qui divergent d'un pays à l'autre, ce qui est anormal.

Par ailleurs, la durée d'instruction de l'asile devrait elle aussi être réduite. L'Allemagne parvient à traiter les demandes en quelques mois alors qu'en France ce processus peut durer jusqu'à deux ans, si on multiplie les recours ! La demande d'autres titres de séjour, comme celui d'étranger malade, permet de gagner du temps.

NP : Mais dès lors que l'on a passé 5 ans sur le territoire français, on est automatiquement régularisé !

AJ : Le but étant, en effet, d'être régularisé après cinq années de présence en France, comme le permet la circulaire « Valls » de novembre 2012. J'abrogerai cette circulaire. La dernière loi sur le droit d'asile a lancé un signal positif puisqu'elle entend réduire à neuf mois les délais d'instruction, mais encore faut-il que le gouvernement actuel ne se contente pas d'affirmer ce délai dans une loi mais donne à l'Office français de protection des réfugiés et apatrides ainsi qu'à la Cour nationale du droit d'asile, qui reste un point d'engorgement important, les moyens d'y parvenir.

S'agissant, enfin, des demandeurs d'asile déboutés (qui représentent les trois quarts des dossiers traités), très peu sont reconduits à la frontière. De fait, certains préfets ont même fini par renoncer à lancer des procédures d'éloignement car elles n'aboutissent pas. Voilà pourquoi nous devons engager une politique plus énergique de réadmissions avec les pays d'origine. L'Espagne a conclu des accords avec certains États africains, dont le Sénégal : la France doit en faire autant.

NP : Oui, mais pour l'instant nous ne l'avons pas fait. Le Mali, par exemple, n'accorde pas de laissez-passer consulaire... Alors doit-on continuer à verser des aides aux pays qui refusent de réadmettre leurs ressortissants ?

AJ : C'est en effet une erreur. S'agissant du Mali, je vous rappelle que nous avons, dans le passé, mis en place ce genre de dispositions. Il faut aujourd'hui les reprendre. Engager un tel processus avec des pays où il n'existe aucun interlocuteur, comme en Libye, en Syrie ou en Irak, sera, certes, plus problématique, mais cela ne doit pas nous empêcher de relancer une politique de réadmissions que nous avons, aujourd'hui, abandonnée. Notamment avec les pays des Balkans.

NP : Que pensez-vous des dernières mesures votées par le Parlement en matière d'immigration ? Je pense notamment à la création de carte de séjour pluriannuelle.

AJ : De mon point de vue, les dispositifs récemment adoptés tendent à affaiblir la capacité de contrôle de l'État régalien. Créer une carte professionnelle unique pouvait être une très bonne chose. Le gouvernement a cependant souhaité lui attribuer une validité de deux ou quatre ans pour dispenser les titulaires de cette carte de faire contrôler leur situation professionnelle tous les ans à la préfecture. De la même manière, nous nous contentons désormais d'imposer aux familles faisant l'objet d'une OQTF une assignation à résidence au lieu de les placer en centre de rétention administrative, ce qui leur permet de se soustraire plus facilement à une procédure d'éloignement.

Par ailleurs, les conditions de délivrance du titre d'étranger malade ont été assouplies alors même que ce titre fait fréquemment l'objet de détournements. Pour recevoir ce titre de séjour, le demandeur n'aura plus à prouver que le traitement dont il a besoin n'existe pas dans le pays d'origine, mais simplement qu'il ne peut en bénéficier. En cas de contentieux, il reviendra au juge d'apprécier si l'accès est effectif ou non. C'est donc un assouplissement de la loi, qui constitue un appel d'air pour les candidats à l'immigration irrégulière. Je propose d'abroger ces dispositions.

NP : Ne pourrait-on pas aussi souligner le rôle de la CEDH, dont l'article 39 précise qu'en cas de litige sur la demande d'asile, les expulsions sont interdites jusqu'à la décision finale de Cour

européenne des droits de l'homme. Ce qui n'accélère en rien les choses...

AJ : Dénoncer la Convention européenne des droits de l'homme est une responsabilité que je vous laisse assumer. Simplement, on peut expliquer que lorsque l'on se mobilise sur ces sujets – notamment par le biais des procédures d'appel – on arrive à faire entendre notre position. Or, la France y a pour l'heure renoncé...

NP : Est-il normal que la France soit obligée de gérer l'afflux d'étrangers qui voudraient se rendre en Angleterre ? Nos voisins attirent par un marché du travail très libéral et refusent d'en assumer les conséquences. Au bout du compte, les migrants se retrouvent bloqués sur notre territoire dans des conditions épouvantables...

AJ : La Grande-Bretagne est aujourd'hui débordée par ce problème et n'assume pas suffisamment ses responsabilités. Elle a certes adopté récemment des mesures budgétaires mais celles-ci sont loin d'être suffisantes au regard de ce qui se passe. Nous devons poursuivre le dialogue avec la Grande-Bretagne : la situation autour de Calais ne saurait être tolérée plus longtemps. Je veux revoir le traité du Touquet, qui correspondait peut-être à une réalité en 2003, mais qui est aujourd'hui dépassé par le flux massif des migrants. Je veux d'ailleurs rendre hommage à Natacha Bouchart, la sénatrice-maire de Calais, qui semble bien seule à se battre sur ce dossier.

NP : Parmi les migrants expulsés en 2009 de la « jungle » de Sangatte, certains ont été envoyés dans des petits villages partout en France et se sont parfaitement intégrés. Pourtant, on continue aujourd'hui à faire vivre la plupart des immigrés dans des HLM de banlieue où ils sont généralement regroupés par nationalités. Ne faudrait-il pas engager une politique de répartition ?

AJ : Bien sûr ! C'est ce que nous allons sans doute essayer de faire avec les réfugiés syriens en demandant à nos différentes collectivités de faire des efforts dans ce sens. Le département de la Gironde en accueillera environ 3 000. J'ai d'ailleurs créé un groupe de travail dirigé par l'un des vice-présidents de Bordeaux-Métropole : celui-ci aura pour mission d'identifier, parmi les 28 communes de la métropole, celles où nous pourrons accueillir ces migrants sans les concentrer dans un même endroit. De fait, la quasi-totalité des réfugiés se trouve aujourd'hui dans Bordeaux intra-muros. Il faudra donc mieux les répartir, en identifiant des terrains ou des bâtiments disponibles pour les accueillir. Encore faut-il que l'État assume ses responsabilités et indique précisément aux collectivités locales combien de migrants seront accueillis. Or on a aujourd'hui le sentiment d'une grande confusion à ce niveau-là. J'exige notamment que l'État vérifie que les réfugiés de guerre ne soient pas de faux réfugiés. Il en va tout autant de notre sécurité que de l'acceptablilité de ces réfugiés.

NP : Les habitants des petites communes françaises peuvent craindre de voir arriver des migrants là où le taux de chômage est déjà assez élevé. C'est une peur légitime. Il faut la prendre en compte, non ?

AJ : Par le dialogue. Du dialogue naissent la compréhension, et même la fraternisation. C'est notamment le cas à Bordeaux. L'État m'a demandé s'il pouvait utiliser un bâtiment vacant dans un quartier plutôt favorisé pour y installer une vingtaine de familles, originaires des Balkans pour l'essentiel. La première réaction des riverains a été négative. Puis il y a eu rencontre et dialogue. Depuis, tout se passe très bien. Ce n'est bien sûr qu'un exemple, mais il prouve qu'une intégration est possible. À condition, cela va sans dire, de maîtriser la situation, de répartir et d'accompagner l'installation de ces populations sans l'imposer brutalement. La France est un peuple généreux : le nombre de familles qui se sont portées candidates pour accueillir des migrants en dehors de tous les processus collectifs ou publics est extrêmement important.

NP : À en croire un certain discours, la France est certes généreuse vis-à-vis des réfugiés mais ne fait pas assez pour eux. Pourtant, nombre de nos compatriotes s'étonnent qu'on trouve tout à coup des millions pour les migrants alors qu'on leur explique depuis des années qu'il n'y a pas d'argent, par exemple pour résoudre le problème du mal-logement…

AJ : Permettez-moi tout d'abord de dire qu'on présente sans cesse la France comme un pays peureux, égoïste et effrayé par la mondialisation. Or le comportement de beaucoup de nos concitoyens, et nous le voyons au quotidien, est à l'opposé de ce qu'on nous décrit.

Néanmoins, je comprends parfaitement la réaction à laquelle vous faites allusion. Environ 15 % de la population française vit aujourd'hui sous le seuil de pauvreté : parmi ces millions de femmes et d'hommes, certains vivent même en situation de grande pauvreté, c'est-à-dire avec moins de 600 euros par mois. Pour ces personnes en liste d'attente afin d'obtenir un logement social, apprendre que des étrangers vont être pris en charge est effectivement difficile à entendre. Mais il faut comprendre que contrairement aux propos simplistes tenus par certains, de façon à attiser les peurs et les haines, les choses ne sont pas binaires : on n'enlève pas aux uns pour donner aux migrants. Nous savons que la question du logement est complexe, qu'il y a des régions, des villes où on se loge facilement, d'autres qui sont sous grande tension. D'où la nécessité, justement, de bien répartir les migrants pour éviter ce sentiment de concurrence, propice à un sentiment d'injustice, auquel je suis sensible.

NP : L'État paie la police pour lutter contre l'immigration illégale et raccompagner des clandestins à la frontière tout en finançant des associations dont le but est de maintenir ces mêmes personnes sur le territoire français. J'ai eu l'exemple récemment d'un proxénète notoire défendu par des associations qui estiment, par principe, que toute personne entrée en France mérite d'y rester. C'est de l'incohérence absolue, avec l'argent du contribuable.

AJ : S'il existe des situations aussi caricaturales que celles que vous décrivez, la force doit rester à la loi, et non à l'association qui soutiendrait une personne en marge de la légalité ou a fortiori un criminel. Pour autant, gardons-nous des exagérations : les familles dont les membres peuvent être aidés à trouver un emploi, dont les enfants sont scolarisés et à qui on peut obtenir un logement ont besoin d'être accompagnées. En permettant aux étrangers de s'intégrer à la société française, les associations jouent un rôle social que les pouvoirs publics seraient incapables de remplir seuls. À l'inverse, quand on identifie dans des squats des réseaux de prostitution, de criminalité ou de trafic de métaux, il faut que le préfet joue son rôle, en frappant les individus concernés d'une obligation de quitter le territoire, puis en veillant à ce qu'elle soit appliquée.

NP : Mais souvenez-vous de l'affaire Leonarda Dibrani et de la levée de boucliers qui s'ensuivit. Certains sont même allés jusqu'à employer le terme de « rafle »... Il y a tout de même en France un sérieux problème au niveau du discours !

AJ : Les discours des uns et des autres ne sauraient faire entrave à l'action politique. Face à ces questions passionnelles qui touchent à notre sentiment d'identité, les responsables politiques ont l'obligation de faire savoir aux Français l'attitude qu'ils entendent adopter et le cap qu'ils désirent suivre. Hurler avec les loups et crier à la disparition de la France ? Ou bien expliquer par quels moyens ils comptent à la fois contrôler les flux migratoires et faciliter l'intégration des personnes que la France accepte d'accueillir. C'est mon choix.

Je le répète : face au message incohérent envoyé par l'Europe sur la question des migrants, toute politique d'immigration doit marcher sur deux pieds. Notre pays se doit d'accueillir les populations martyrisées dans le cadre d'un droit d'asile, qui est notre honneur, qui fait partie de notre tradition et de nos engagements internationaux. Il est également tenu de mener une lutte sans merci contre l'immigration illégale et de contrôler l'immigration légale. L'un ne peut aller sans l'autre.

NP : Nous sommes également en partie responsables de la venue de certains immigrés en Europe. En déstabilisant l'ensemble du Moyen-Orient, l'Occident a provoqué la venue de 4 millions de Syriens. Quant à l'Afrique, la coopération au développement reste lettre morte...

AJ : Ce n'est pas entièrement vrai. L'Afrique sera le continent émergent du XXIe siècle : certains pays se développent de façon spectaculaire comme l'Éthiopie ou le Ghana ; la Côte d'Ivoire a renoué avec la croissance et l'Afrique du Sud, malgré ses difficultés, est une puissance économique réelle. Il faut donc investir massivement en Afrique pour accompagner le développement, ce qui est beaucoup plus intelligent que de dresser des barbelés tout autour de la Méditerranée ! Nous sommes absolument solidaires, dans notre avenir, du continent africain. Lançons un grand plan eurafricain de co-développement, soutenons l'exceptionnelle ambition portée par Jean-Louis Borloo : c'est notre intérêt, car cette région du monde représentera un marché très important pour nous.

S'agissant, maintenant, du cas syrien, c'est à Bachar el-Assad, et à lui seul, qu'incombe la responsabilité de la situation actuelle. Les gens qui manifestaient début 2011 dans les rues de Damas n'étaient pas des soldats de Daech, mais des jeunes Syriens qui réclamaient un peu d'oxygène, de liberté. Bachar el-Assad a été sourd à tout ce qui a été tenté sur le terrain diplomatique pour faire bouger le régime, que ce soit de la part de la Ligue arabe, de l'ONU ou de l'Europe. Petit à petit, la violence s'est déchaînée : le chef du régime syrien s'est même servi d'armes chimiques contre sa population, et Daech, qui a vu le jour en Irak dans les décombres de l'intervention américaine, a pu se développer. Ce n'est donc pas à l'Occident d'être tenu pour responsable de la situation dans ce pays. Quant à la Libye, je dirais simplement qu'on nous avait reproché, à l'aube des « printemps arabes », en 2011, de ne pas avoir vu venir ces mouvements et d'avoir protégé des régimes autoritaires au détriment de l'aspiration des peuples à la démocratie. Nous avons entendu ce message et affiché notre soutien aux Tunisiens ainsi qu'aux Égyptiens qui demandaient la démocratie. Je rappelle qu'en Lybie, nous sommes intervenus dans le cadre d'un mandat de l'ONU, voté à l'unanimité, et pour répondre à une situation d'extrême urgence : les chars de Kadhafi déferlaient vers Benghazi, ce qui allait provoquer des milliers et des milliers de morts. Pouvait-on rester les bras croisés ? Notre erreur collective fut de n'avoir pas accompagné la transition démocratique : les Libyens ont refusé notre aide au nom de leur souveraineté. Malgré tout, je préfère me souvenir des jeunes de Benghazi remerciant la France et la Grande-Bretagne de les avoir sauvés. Il est toujours facile de critiquer quand on connaît la suite des événements. Ce n'est pas l'Occident qui a déstabilisé le Moyen-Orient. Ce sont ses dictateurs !

NP : Bien avant ces événements, le sociologue Emmanuel Todd s'était penché sur la démographie des pays qui ont participé aux printemps arabes. La Tunisie avait toutes les chances de réussir sa transition démocratique, cela se devinait par la structure familiale, l'alphabétisation... alors qu'un tel processus était inenvisageable en Libye : la structure sociale du pays ne le permettait pas.

AJ : Il est vrai que la Tunisie avait eu une expérience démocratique à l'époque de Bourguiba alors qu'après quarante ans de dictature, la Libye, qui est un conglomérat de tribus, n'avait pas de substrat démocratique. Fallait-il, pour cette raison, qu'on laisse Kadhafi massacrer Benghazi ? Quoi qu'il en soit, nous devons désormais rechercher un accord politique en Libye, malgré les difficultés. C'est d'autant plus important que Tripoli n'est qu'à 1 300 kilomètres de Marseille.

NP : Revenons un instant sur la question des *hot spots*. Faut-il les établir dans différents pays de l'Europe, là où ont lieu les arrivées de migrants ? Le camp de Mineo, en Sicile, compte déjà 4 000 personnes. L'Italie n'en peut plus.

AJ : L'accueil des migrants doit, effectivement, être fait en amont. Pour l'heure, il faut s'assurer que 4 millions de Syriens réfugiés au Liban, en Jordanie et en Turquie soient correctement traités en attendant qu'on trouve une solution politique qui leur permettra de rentrer chez eux. Cette responsabilité n'est pas uniquement celle de la France et de l'Europe, mais celle de la communauté internationale, de l'ONU et du Haut commissariat aux réfugiés. Un effort important reste à fournir dans ce sens. C'est à l'Union européenne qu'il revient d'organiser et de financer ces *Hot spots*.

NP : Que faire vis-à-vis des réseaux de passeurs implantés en Libye ?

AJ : Il faut aller les bombarder. Une résolution demandant l'autorisation d'intervenir sur les côtes libyennes pour détruire les embarcations des passeurs a été déposée depuis des mois au Conseil de sécurité de l'ONU. Malheureusement, le veto russe en empêche l'adoption au nom du principe de non-intervention dans les pays étrangers. D'où la nécessité de renouer un vrai dialogue avec Poutine, pour ne pas rester paralysés face à l'intolérable.

NP : Sans doute aurait-il fallu éviter de rejouer la Guerre Froide... Un mot sur l'aide médicale de l'État aux étrangers. Avec l'aide de passeurs, des malades géorgiens et tchétchènes arrivent aujourd'hui en France pour faire soigner leur tuberculose résistante. Ne faudrait-il pas revoir notre conception de l'aide aux malades ?

AJ : Voilà plus d'un an que je dénonce la façon dont ce système est détourné de sa vocation initiale. L'aide médicale d'État (AME) concerne aujourd'hui près de 300 000 personnes et coûte près de 750 millions d'euros (ces chiffres ont d'ailleurs fortement augmenté ces dernières années). À l'origine, il s'agissait d'un acte d'humanité qui consistait à soigner gratuitement des personnes malades en situation irrégulière. Hélas, ce système est aujourd'hui devenu intenable : l'AME devrait être théoriquement accordée sous condition de ressources, mais ces contrôles sont-ils véritablement effectués ? Il faut maintenant restreindre l'attribution de cette aide aux situations d'urgence : un sans-papiers atteint d'un AVC ou d'une hémorragie serait évidemment pris en charge. À l'inverse, il est inacceptable qu'un étranger vienne se faire opérer en France gratuitement en programmant une opération qu'il aurait pu subir dans son pays d'origine. Voilà pourquoi les interventions médicales programmables devraient faire l'objet d'un contrôle beaucoup plus strict qu'aujourd'hui. Même s'il est inspiré par de bons sentiments, ce système est actuellement à l'origine de dérives insupportables qui nourrissent chez les Français un sentiment d'injustice et de révolte.

NP : Nous touchons là à une question cruciale. Comment donner aux Français l'envie d'accueillir ceux qui ont le droit de venir s'installer chez nous, alors que depuis des années, on leur explique qu'ils n'ont pas voix au chapitre ?

AJ : La réponse me semble assez simple : en fixant très clairement les règles et en les faisant respecter. Si les Français ont le sentiment qu'on peut tricher avec le système, ils nourriront à l'égard des nouveaux arrivants une forme de rejet que je peux comprendre. Voilà pourquoi nous devons fixer des objectifs annuels (comme sur le nombre d'étrangers que nous pouvons accueillir au titre de l'immigration économique), établir des règles strictes (je pense ici au regroupement familial) et exercer des contrôles. Une politique d'immigration peut être acceptée à la seule condition qu'elle fasse l'objet d'un débat et d'un vote au Parlement. Les personnes que nous accueillons doivent en outre respecter les principes républicains auxquels nous sommes collectivement attachés. Le contrat d'accueil et d'intégration, l'un des outils essentiels de notre politique d'accueil en France, doit être renforcé pour répondre aux défis de l'intégration. L'ensemble des formations dispensées devrait faire l'objet de tests en fin de cursus afin de garantir l'implication de tous les publics. Je pense ici à la formation civique qui est le creuset de notre vivre ensemble, et à la maîtrise de la langue française.

NP : Pour l'heure, on a plutôt une pression idéologique qui nous oblige à accepter la situation sans débat démocratique.

AJ : Plusieurs lobbys se sont effectivement emparés de cette question. Si les uns tiennent un discours totalement négatif qui encourage le rejet, la stigmatisation et la peur, les autres veulent à tout prix nous culpabiliser. « La France ne peut pas accueillir toute la misère du monde mais elle doit en prendre sa part », disait Michel Rocard. S'il est nécessaire de débattre autour de cette part que nous devons accueillir, nous devons également nous donner les moyens de maîtriser celle que nous ne pouvons pas recevoir. Cette réflexion vaut également au niveau européen, même si l'idée est loin d'avoir fait son chemin.

NP : Les réticences des Français devant les réfugiés ont une cause : le discours multiculturaliste qu'on leur impose depuis des décennies. Si on leur dit que des gens peuvent arriver et conserver leur mode de vie et leurs valeurs sans s'intégrer, on déclenche une peur : celle de devenir un jour minoritaires et de voir disparaître ce qui fait la France qu'ils connaissent et qu'ils aiment.

AJ : Les Français n'ont jamais été contraints de renoncer à une partie de leur identité : on s'est contenté de leur dire que leur culture n'était pas monolithique. J'en veux pour preuve la ville de Bordeaux. Les Espagnols arrivés au lendemain de la guerre civile se sont parfaitement intégrés mais continuent de se réunir ensemble. Ni eux, ni les Portugais qui sont venus s'installer en Gironde n'ont perdu leur culture ! Entendons-nous : la volonté d'assimiler, c'est-à-dire de rendre semblable, n'a aucun sens. Nous sommes et nous restons différents du fait de nos origines, de notre couleur de peau, de notre religion.

NP : Nous sommes entièrement d'accord, il s'agit de toute la différence entre assimilation et intégration. Comment définit-on cette dernière ?

AJ : D'abord par une réalité. La France est diverse. Mais il serait impensable que chacun se referme sur son microcosme, dans sa communauté. Au-delà des différences culturelles évidentes au sein de notre pays, il existe un bien commun qui nous relie. Et ce bien commun qui unit les Français dans la diversité, ce sont les valeurs de la République, notre devise nationale, la Déclaration des droits de l'homme et du citoyen, l'égalité entre les hommes et les femmes et la laïcité (c'est-à-dire le fait qu'aucune religion ne puisse imposer sa loi dans l'espace public et dans la République en général). Et ce bien commun-là n'est pas négociable.

Si ces valeurs ne sont pas affirmées de façon suffisamment forte, on peut voir naître une peur de perdre son identité.

NP : C'est exactement ce que nous vivons, il suffit pour s'en convaincre d'observer les tollés que provoque le simple emploi du terme « identité » ! Alain Finkielkraut diagnostique à cet égard une souffrance de nos compatriotes.

AJ : Voilà, pour ma part, un mot que je ne crains pas d'employer, même si on me l'a également souvent reproché : j'ai en effet la conviction que nous pouvons recréer en France les conditions nécessaires pour vivre ensemble, et partager une *identité heureuse*. C'est une ambition, à construire collectivement, c'est la mienne. Je la préfère à la vision pessimiste des évolutions de notre société, répétée à l'envi aujourd'hui.

Beaucoup de nos contemporains parlent de l'avenir comme d'une menace : ce n'est pas mon cas. Alain Finkielkraut, pour qui j'ai par ailleurs beaucoup de respect, se plaît à évoquer l'*identité malheureuse* de notre pays. J'entends, pour ma part, convaincre les Français que ce n'est pas en niant nos différences mais en construisant le bien commun que nous surmonterons nos difficultés.

NP : Le problème est que la République a pendant des décennies aplani les différences et les diversités propres à la France tout en mettant en exergue celles venues de l'« extérieur ». N'est-on pas allé trop loin ?

AJ : Entendons-nous : il ne s'agit évidemment pas de survaloriser ces différences mais de mettre l'accent sur ce qui nous réunit. Et ce qui nous réunit, comme je l'ai dit dans mon discours au congrès inaugural des Républicains, c'est le sentiment national, la fierté de notre histoire, l'attachement à la patrie. Ce sentiment se construit d'abord à l'école, par la transmission des valeurs républicaines, mais aussi en rassemblant les Français autour de l'hymne national, du drapeau, de la laïcité. « Qu'avons-nous en commun ? » : voilà la question à laquelle il me semble nécessaire de répondre clairement et constamment.

NP : Le multiculturalisme n'est pas la simple ouverture à l'autre, sinon, tous les Français l'accepteraient. Derrière, il y a le communautarisme. À l'heure actuelle, le terme de « communautés » est de plus en plus souvent employé au sujet des catholiques, des juifs et des musulmans. C'est la preuve qu'il y a une ambiguïté autour de la notion de multiculturalisme qu'on tire vers une conception à l'anglo-saxonne.

AJ : Il est vrai qu'un changement historique et culturel majeur s'est produit depuis l'époque où la société française était à 90 % catholique et à 80 % pratiquante. C'est une réalité de notre pays et la preuve de la pluralité de sa culture : le vendredi, certains se rendent à la mosquée ; le samedi, d'autres vont à la synagogue ; et le dimanche, d'autres encore se rendent à l'église ou au temple.

Pour autant, ne confondons pas le multiculturalisme avec le communautarisme tel qu'on peut l'observer dans certains pays anglo-saxons. L'existence d'une diversité culturelle est une évidence.

Mais le communautarisme est un dévoiement qui pousse chaque groupe à se replier sur lui-même : j'ai eu l'occasion d'en faire l'expérience à Montréal, où j'ai vécu pendant un an dans un quartier dont les habitants, juifs hassidiques, vivaient refermés sur eux-mêmes, sans saluer leurs voisins ou serrer la main d'une femme dans la rue. À l'époque de mon arrivée au Canada, un juge de l'Ontario envisageait même d'autoriser l'application de la charia au droit de la famille. Ce modèle n'est absolument pas le nôtre ! La société française repose sur le principe d'intégration : son destin n'est pas d'être compartimentée entre communautés qui s'ignorent les unes les autres. La France a des sensibilités culturelles différentes : il serait absurde de prétendre que nous sommes tous identiques. Mais il y a un socle intangible. Même si je suis favorable à ce qu'on enseigne les langues régionales, je refuse qu'on laisse rédiger des actes d'état civil en corse ou en basque !

NP : Nous avons un problème avec les jeunes Français issus de l'immigration parce que nous avons renoncé à l'intégration en pensant qu'être Français se résumait à un État civil. Nous le payons. Mais il y a des discriminations réelles, dans leur accès au logement ou à l'embauche, ce qui nourrit le ressentiment. Comment résoudre cette question ? Êtes-vous favorable à des statistiques ethniques pour faire un état des lieux ?

AJ : La première réponse à la situation de ces jeunes, c'est la formation et l'emploi : avec un décrochage scolaire beaucoup plus important qu'ailleurs et 30 % de chômage dans certains quartiers, aucune intégration ne sera possible. C'est une question que j'évoque largement dans mon ouvrage sur l'école. Quant aux discriminations à l'emploi, une étude de l'Institut Montaigne a récemment interrogé des jeunes à la recherche d'un emploi. Cette étude a montré que le taux de réponse aux envois de CV se situe autour de 20 %, taux qui tombe à 16 % pour les noms supposés juifs et à 10 % pour ceux dont les noms ont une consonance arabe. C'est d'ailleurs encore pire pour les garçons. Dans ce dernier cas, ils n'obtiennent que 4,7 % de réponses ! On voit l'ampleur du problème, auquel le CV anonyme ne répond évidemment pas. C'est une autre stratégie pour l'emploi qu'il faut mettre en œuvre. Ce n'est pas l'objet de ce livre. Mais je le développerai en détail.

S'agissant des statistiques ethniques à visée scientifique, l'INSEE produit déjà des études fondées sur les origines nationales qui sont suffisantes.

Laïcité

Natacha Polony : On peut espérer que l'immigration sera acceptée si l'État offre la garantie aux citoyens que les grands équilibres de la

société ne seront pas bouleversés. Parler de ce que nous avons en commun, de ce qui peut rendre la société vivable, devient par conséquent un enjeu crucial. Parmi ces éléments figure la laïcité. Quelle est votre définition de cette notion devenue incompréhensible à force d'être vidée de son sens ?

AJ : Je suis surpris de ce débat autour de la laïcité qui, pourtant, me semble être un concept d'une très grande clarté qui ne prête pas à polémique. La lecture en est assez simple. La laïcité qui est inscrite dans la loi depuis 1905 et dans l'article 1 de notre constitution est pour ainsi dire un aller et retour. « L'aller » est une liberté fondamentale, déjà garantie par la Déclaration des droits de l'homme et du citoyen de 1789 puis reprise dans tous les textes constitutionnels de la République : la liberté religieuse. Chaque Français a le droit et la liberté de choisir sa religion, de la pratiquer ou de ne pas en avoir : ce principe de base fait d'ailleurs partie du bien commun que j'ai eu l'occasion d'évoquer à propos des valeurs de notre pays. Dans les faits, toutes les religions ont le droit d'avoir des lieux de culte et peuvent être pratiquées librement sur le territoire de la République.

En contrepartie (et c'est le « retour » que je viens à l'instant de signaler), les religions doivent strictement respecter les lois de notre pays, ses valeurs, les principes de la démocratie et un corpus de droits fondamentaux. Au nom de cette séparation entre les ordres, qui remonte à Pascal et même encore plus loin dans l'histoire, l'ordre politique, temporel, et l'ordre religieux, spirituel, sont dissociés. Aucune religion n'a vocation à imposer sa vision de la société, de la vie, de la mort, à l'ensemble de la collectivité nationale. « Rendons à César ce qui est à César et à Dieu ce qui est Dieu » : cette idée, qui est pourtant exprimée avec force dans l'Évangile, a fait l'objet d'un rude débat avec la religion catholique, institution temporelle. Nous avons aujourd'hui le même genre de débat à mener avec d'autres religions, et notamment avec l'islam. Avec cette difficulté que dans l'islam, la séparation du politique et du religieux est loin d'aller de soi.

NP : On a vu après les attentats de janvier que nombre de professeurs avouent être incapables d'expliquer la laïcité à leurs élèves : ce concept est donc loin d'être évident pour tout le monde.

AJ : C'est pour cela, à cause de l'hétérogénéité culturelle des élèves, qui rend les choses complexes, que je préconise, pour les chefs d'établissements mais aussi pour l'ensemble des responsables de services publics, la rédaction d'un code de la laïcité réunissant tous les textes traitant de cette question, à commencer par la Déclaration des droits de l'homme et la loi de 1905. Cet outil n'est pas un gadget mais bien l'ensemble des règles qu'ils, les enseignants notamment, peuvent et doivent appliquer dans leur mission. C'est avec cet outil que les chefs d'établissement pourront ou non sanctionner les manquements à la laïcité. Par ailleurs je crois tout aussi indispensable de renforcer lourdement les modules pédagogiques sur la laïcité et notamment d'en faire un des points forts des cours d'éducation civique et de morale républicaine à l'école, dès le plus jeune âge.

NP : Pour certains philosophes comme Catherine Kintzler et Henri Peña-Ruiz, la laïcité est un principe fondamental qui définit un espace neutre, c'est-à-dire l'espace public. Elle établit ainsi une frontière qui déplace les religions et les croyances vers un espace privé. Même si les représentants du religieux ont évidemment droit de cité, il s'agit malgré tout d'une séparation : les églises et la religion n'interfèrent pas. Ce principe est mis en difficulté par une société, la nôtre, où l'individualisme ambiant pousse chacun à vouloir exprimer et valoriser son identité. Dans les années 1960, des élèves n'auraient pas eu l'idée d'afficher ouvertement des signes religieux dans les écoles…

AJ : Soyons clairs : il appartient à chacun de pouvoir assumer son identité et sa foi à condition (et c'est le strict minimum) de ne pas l'imposer aux autres. C'est là que se situe la séparation nécessaire du temporel et du spirituel, de l'espace public et de l'espace privé. Longtemps, la religion catholique, qui était sous les rois religion d'État, a imposé sa vision de la société : la laïcité a changé cet état de fait. Avec la séparation de l'Église et de l'État, tout croyant peut pratiquer sa religion et faire respecter ses valeurs mais n'a aucunement le droit de l'imposer à d'autres. Voilà pourquoi il me semble tout à fait inutile de se poser de fausses questions. Prétendre ignorer ce qu'est la laïcité, vouloir la redéfinir est, à mon sens, une façon d'éluder le véritable problème : savoir comment faire vivre la laïcité au quotidien, avec les conséquences que cela implique sur un certain nombre de sujets. Notre problème n'est pas tant de définir la laïcité que de la mettre en œuvre.

NP : Pourquoi alors s'inquiéter de toutes ces revendications communautaires ?

AJ : Nous devons nous montrer très fermes vis-à-vis de certaines demandes communautaires qui revendiquent de façon tout à fait inacceptable d'imposer une vision religieuse dans la vie civile. À titre d'exemple, il est intolérable de vouloir exiger dans les cantines scolaires (qui, rappelons-le, font partie de l'espace public) des repas religieux, kasher ou halal : il s'agirait là d'une façon de remettre en cause le fonctionnement d'un service public. De la même façon, dans un service hospitalier, empêcher un médecin homme de soigner une femme est un empiètement de la religion sur le service public, et c'est également intolérable.

Cela étant, se montrer vigilant et sévère en cas de dérapage ne doit pas nous empêcher de faire preuve d'intelligence, de tact, et de bon sens. S'agissant des cantines, voilà vingt ans que les écoles de Bordeaux laissent aux élèves la possibilité de choisir entre plusieurs plats sans que cela cause le moindre problème. À mon sens, cette question n'avait pas à être de nouveau posée aujourd'hui de façon aussi abusive et absurde.

NP : Certains nous expliquent aujourd'hui que la laïcité française serait l'expression d'une domination catholique. L'islam ne ferait que demander ce que le christianisme a eu le droit de faire dans le passé…

AJ : Il y a un fait, c'est que la France est, depuis 1 200 ans, un pays de tradition chrétienne, comme en témoignent les églises dans tous nos villages et les calvaires et rosaires de nos campagnes : c'est notre héritage culturel, naturellement présent dans nos traditions. La laïcité ne signifie pas faire table rase du passé. Aujourd'hui, la laïcité n'a aucun problème avec l'Église catholique, qui n'occupe plus la même place dominante au sein de la société, ni avec le protestantisme, le bouddhisme ou le judaïsme, qui acceptent parfaitement les principes républicains. À l'inverse, nous ne pouvons tolérer que certaines formes de l'islam contestent notre conception du bien commun, et tout particulièrement l'égalité entre les hommes et les femmes.

NP : Maintenez-vous vos propos tenus sur le plateau du *Grand Journal* selon lesquels, d'après les spécialistes, rien dans le Coran ne justifie l'inégalité entre les hommes et les femmes ?

AJ : Tout à fait ! D'après certains théologiens (je pense ici à Tareq Oubrou et à son ouvrage *Un imam en colère*), rien dans le Coran ne justifie qu'on discrimine les femmes ni qu'on leur impose le voile. Il en va de même pour d'autres règles, comme celles concernant l'héritage et le divorce, qui sont des constructions élaborées par des sociétés pénétrées par l'islam. N'allez évidemment pas croire que je souhaite me transformer en commentateur du Coran, même si j'ai eu l'occasion de me plonger dans ce texte : je me borne à constater que plusieurs lectures sont possibles, comme dans le cas de la Bible. Si l'une est littérale, archaïque, passéiste (à l'image de l'interprétation de la Genèse par les créationnistes), l'autre est contextualisée, ancrée dans le monde d'aujourd'hui et compatible avec les principes de la République.

Permettez-moi d'être très clair sur ce point : juger que l'islam est par nature incompatible avec les valeurs de notre pays reviendrait à exclure de la communauté nationale 5 millions de Français. Pour ma part, je ne saurais me résigner à cette vision des choses. Voilà pourquoi nous devons continuer d'encourager, de soutenir, de développer et peut-être de protéger une lecture de l'islam compatible avec la République tout en combattant les interprétations sectaires et agressives à l'égard de nos valeurs. Quand au lendemain des attentats du 13 novembre 2015, j'ai souhaité que les autorités musulmanes de France prennent la parole non seulement pour condamner le terrorisme – ce qui va de soi – mais aussi pour prendre leurs distances avec les dérives sectaires et fanatiques de leur religion, j'ai provoqué un début de polémique parmi les Français musulmans. Certains m'ont dit : « Pourquoi devrions-nous nous justifier ? Pourquoi nous stigmatisez-vous ainsi ? » J'ai eu du mal à comprendre cette réaction. Ce n'est évidemment pas moi qui peux convaincre qu'il existe aujourd'hui une lecture de l'islam parfaitement compatible avec la République française. C'est aux Français musulmans eux-mêmes de le dire et de convaincre. Heureusement, ils l'ont parfaitement compris. J'ai été heureux de lire le 30 novembre 2015 dans les colonnes du *Monde* que les organisations musulmanes de France rassemblées proclamaient « un manifeste citoyen » et s'engageaient à lutter contre le « fléau de la radicalisation ».

NP : N'est-ce pas parce que nous avons péché par naïveté ou par culpabilité coloniale que cette vision littéraliste de l'islam a pu se développer ? On a beaucoup insisté dans les années 1980 sur le droit à la différence. La marche des beurs en 1983 était une manifestation laïque, politique, mais la génération de ses participants a été aujourd'hui écartée et remplacée par des gens opposés à la laïcité telle que vous venez de la définir.

AJ : C'est possible. Permettez-moi cependant de poser la question : est-ce nous qui n'avons pas voulu voir les choses ou est-ce l'islam qui a changé ? Il y a fort à parier que ces deux hypothèses soient vraies. De fait, cette vision passéiste de la religion musulmane (qui est celle prônée par le wahhabisme) a été encouragée par un mouvement venu d'Arabie saoudite ou d'autres pays de la région. Sans doute n'avons-nous pas vu la montée de cette forme de radicalisation de l'islam. Quoi qu'il en soit, cette responsabilité ne pèse pas sur nos seules épaules. Nous n'avons pas provoqué ce mouvement de sectarisation : il s'agit là d'un courant mondial encouragé par des forces qui disposaient de moyens considérables pour le faire. Au bout du compte, celui-ci s'est répandu un peu partout dans le monde : c'est à cette réalité que nous sommes maintenant confrontés et à laquelle nous devons réagir avec clarté et fermeté.

NP : En 2002 est paru *Les Territoires perdus de la République*. Dans ce livre, des professeurs signalaient les demandes communautaristes dans les écoles, les atteintes à la laïcité et l'antisémitisme. Trois ans plus tard, le rapport Obin a été mis sous le boisseau par le ministre de l'Éducation nationale de l'époque. Pour des raisons idéologiques, on a refusé de voir ce qui se passait.

AJ : La situation dans laquelle ont été maintenus des quartiers entiers a sans doute favorisé l'émergence d'une vision radicale de l'islam : la jeunesse désœuvrée qui y vit aurait été moins sensible à cette intoxication sectaire si elle avait eu un travail, un avenir dans lequel se projeter. Quoi qu'il en soit, je veux bien admettre que nous avons péché par absence de vigilance et de réaction. Une prise de conscience était nécessaire : elle a maintenant eu lieu. Pour autant, gardons-nous de pécher par excès inverse et confusion mentale en assimilant tous les musulmans à des djihadistes et des fanatiques. Apprenons de nos erreurs passées (sans en commettre d'autres) et voyons quel est le point d'équilibre qu'il est possible d'atteindre dans une

République comme la nôtre sur les principes que j'ai évoqués. Ma proposition d'établir et de diffuser un code de la laïcité va dans ce sens.

Il faut également se donner les moyens juridiques d'agir : pourquoi ne pas créer un délit d'entrave à la laïcité dans les services publics, qui sanctionnerait les injonctions données par les usagers au nom de leurs convictions religieuses ou philosophiques ? Refuser qu'un homme puisse soigner une femme ou exiger qu'on serve certains menus dans les cantines doit être considéré comme une entrave au service public qu'il faut donc pénaliser en créant une peine correctionnelle (inexistante aujourd'hui), alourdie en cas de violence. Nier l'existence de ces phénomènes ou faire preuve d'une indulgence excessive à leur endroit serait une erreur : les sanctionner permettra à l'islam compatible avec la République de s'imposer. J'appelle d'ailleurs les musulmans à y contribuer : c'est à eux d'affirmer que le Coran est compatible avec les valeurs de la République, sous réserve d'être interprété à la lumière de la société d'aujourd'hui. De la même manière, c'est aux responsables de la communauté musulmane d'expliquer comment ils conçoivent et pratiquent leur religion aujourd'hui. Ne pas mener ce travail reviendrait à laisser le champ libre aux interprétations sectaires et radicales. Heureusement, certains s'y emploient.

NP : Une fois de plus, il y a une marge entre la décision et l'application. On sait que nombre de policiers renoncent à verbaliser les femmes qui portent le voile intégral par peur des incidents.

AJ : La loi sur les signes ostensibles à l'école a été appliquée et respectée sans provoquer d'incidents : on a eu raison de la mettre en œuvre. Pour moi, le voile intégral est un instrument d'asservissement de la femme, enfermée dans sa prison de tissu… Par ailleurs, chaque citoyen doit être capable de prouver à tout moment son identité dans l'espace public. Voilà pourquoi le voile intégral ne saurait être toléré : toute infraction à cette loi doit être sanctionnée et je condamne le laxisme dont on peut faire preuve en la matière.

NP : S'agissant de la réorganisation de l'islam, comment éviter les pressions venues de l'étranger ? Sur les 1 800 imams présents en France, seuls 30 % sont français…

AJ : La question du clergé dans la religion musulmane est un vrai problème, que nous n'avons pas véritablement réussi à traiter. Je propose donc de ramener le Conseil français du culte musulman à sa vraie vocation qui n'est pas de traiter de questions philosophiques, historiques ou générales mais de questions opérationnelles : comment s'assurer que les imams ont acquis un minimum de connaissances sur les valeurs de la République, dont le principe de laïcité ? C'est pourquoi je propose d'élaborer avec le CFCM un dispositif de validation permettant de vérifier que tous les imams de France parlent français, et ont reçu une formation à la fois théologique et républicaine – sur la devise nationale, la Déclaration des droits de l'homme et du citoyen, le principe de laïcité, formation donnant lieu à un diplôme. Certaines universités ont certes commencé à mettre au point des diplômes, comme à Strasbourg et à Paris, mais c'est d'abord avec les responsables de la religion musulmane que nous devons en discuter. Je suis clairement favorable à une obligation de formation pour les ministres du culte. Pour ce faire je préconise que la République conclue solennellement un pacte, un accord avec l'islam de France pour mieux préciser la place du culte musulman dans notre République, pour définir avec les autorités musulmanes françaises les règles relatives au recrutement des imans, à leur formation obligatoire, à la transparence du financement des lieux de culte et à l'utilisation de la langue française pour les prêches.

NP : On a pu voir sur Internet l'imam de Brest expliquer à des enfants qu'écouter de la musique pouvait les transformer en porcs ou en singes. On tolère donc ce genre de discours

aberrants sur le territoire français ? Comment réagissez-vous ?

AJ : En allant dans les mosquées écouter les prêches, en expulsant les imams salafistes qui ne respectent pas les principes de la République et en fermant les mosquées qui reçoivent ces imams. Nous ne devons tolérer aucune dérive. Pour ma part, j'interroge souvent le préfet de la Gironde pour m'assurer qu'on ne véhicule pas dans les lieux de culte des pensées ou des mots d'ordre incompatibles avec nos règles et nos lois. Mais il faut procéder de façon plus systématique car de telles situations ne sont pas acceptables. Des mosquées salafistes ont d'ailleurs été fermées en France par le ministère de l'Intérieur.

NP : Vous seriez donc prêt à assumer ce rapport de force et les accusations de stigmatisation qui en découleront ?

AJ : Bien sûr ! Si des faits précis sont observés car la loi doit s'imposer à tout le monde.

NP : Le Salon de la femme musulmane qui s'est récemment tenu à Pontoise était *a priori* destiné à tous les musulmans. Mais les intervenants étaient des radicaux habitués des discours

sexistes et délirants. Pourquoi cette manifestation n'a-t-elle provoqué aucune réaction ?

AJ : Qu'un Salon de la femme musulmane puisse être organisé n'est pas en soi condamnable. En revanche, il est intolérable qu'on y véhicule des messages visant à abaisser les femmes et à prôner des valeurs contraires à notre République. Je le répète : le respect de l'égale dignité de l'homme et de la femme est un principe non négociable. Si des prises de parole ou des actes allant à l'encontre de ce principe sont prouvés, ils tombent sous le coup de la loi et doivent être réprimés.

NP : Attardons-nous un instant sur la question du voile. Chacun étant libre de s'habiller comme il le souhaite, porter le voile dans l'espace public ne pose évidemment aucun problème.

Mais cela génère parfois une crispation, ne serait-ce que parce que le voile remet symboliquement en cause une de nos valeurs fondamentales, l'égalité hommes-femmes. En fin de compte, beaucoup, et notamment des professeurs d'universités estiment aujourd'hui que l'espace public est imperceptiblement grignoté par le religieux.

AJ : Tout d'abord, concernant le voile intégral, il faudrait user d'une grande force de conviction à mon égard pour me faire admettre qu'il représente un acte de libération de la femme ! Il est évidemment à proscrire. Pour le reste, sans doute va-t-on me reprocher de faire des comparaisons datées mais j'ai le souvenir que ma mère portait un foulard sur la tête pour se rendre à l'église : qu'une femme porte un simple voile dans la rue ou à l'université ne me dérange donc pas. J'ai l'impression que nous nous sommes radicalisés dans le sens inverse à force de perdre le sens de la mesure. Certaines choses sont inacceptables, d'autres font partie des « accommodements raisonnables » dont parlent nos amis canadiens. Faisons preuve de bon sens et tâchons de déterminer ce qui relève d'un acte de prosélytisme insupportable et non du droit fondamental de chacun à s'habiller comme il le souhaite.

NP : Il y a quelques mois, une jeune fille s'est rendue à l'école en jupe longue pour protester contre le fait qu'on lui avait interdit de mettre son voile. Bref, on en est à mesurer les bouts de tissus. Finalement, l'uniforme est sans doute la seule façon de limiter les revendications identitaires (et le consumérisme) à l'école, non ?

AJ : Ce n'est pas une idée absurde. D'aucuns estiment que cette mesure pourrait contribuer à la réussite scolaire. Je n'y crois guère mais cela permettrait peut-être d'apaiser le climat scolaire.

NP : Revenons un instant sur l'organisation de l'islam. Comment finance-t-on les mosquées ? Beaucoup sont financées par des fonds extérieurs au motif que les musulmans français ont peu de revenus. Faut-il revenir sur la loi de 1905 ?

AJ : Je ne suis pas de cet avis. Les nouvelles églises que construit aujourd'hui l'Église catholique ne sont pas financées par des subventions publiques mais par les dons des fidèles et les fonds à sa disposition. S'agissant de l'islam, on m'a accusé (sur Internet mais aussi au cours d'une réunion publique) d'avoir construit à Bordeaux la plus grande mosquée d'Europe. Le hic, c'est que cette grande mosquée n'existe pas ! À Paris oui, à Bordeaux non ! Ma position sur ce sujet est claire : il existe en France des églises pour les catholiques, des synagogues pour les juifs, ainsi que des temples pour les protestants et les bouddhistes. Il est donc normal que les musulmans puissent avoir accès à des lieux de prières.

On ne peut pas tout à la fois leur interdire de prier dans la rue ou vouloir lutter contre l'islam des caves et leur dénier le droit d'avoir des lieux de culte. S'il m'est possible de faciliter l'aménagement des lieux de prière dans Bordeaux, je le ferai. Le Conseil d'État a d'ailleurs récemment fait évoluer la jurisprudence en la matière : des terrains peuvent être mis à disposition par bail emphytéotique.

En revanche, s'agissant du financement même des travaux, je ne suis pas favorable à ce que l'on modifie la loi de 1905 pour en autoriser le financement public. Et je veux même aller plus loin que la loi de 1905 et imposer la traçabilité sur l'origine des fonds : la communauté musulmane doit se donner les moyens de construire des mosquées en toute transparence. De fait, lorsque j'ai proposé de mettre à disposition un terrain en vue de la construction d'un lieu de culte, j'ai fait savoir à mes interlocuteurs que je demanderais au préfet de la Gironde de vérifier l'origine des fonds. Le projet initial qui m'était soumis a d'ailleurs été revu car il était sans doute trop cher et peut-être un peu trop imposant : mes interlocuteurs sont parfaitement conscients que les provocations ne servent à rien. Bref, nous avons face à nous des musulmans responsables et capables de se réunir sans que cela pose problème. Par conséquent, ne dramatisons pas les choses inutilement.

De surcroît, si on modifiait la loi de 1905 pour les musulmans, les autres religions demanderaient évidemment la même chose.

NP : À ce propos, doit-on conserver le régime concordataire, dont le principe même pose problème au regard de la laïcité ?

AJ : Je n'ai pas l'intention de supprimer le concordat encore en vigueur dans certaines régions françaises, comme en Moselle et en Alsace : il faut respecter l'histoire. Par ailleurs, cette disposition ne pose aucun problème : lors d'une réunion à Strasbourg avec les ministres du culte, j'ai été agréablement surpris de voir qu'ils se connaissaient tous parfaitement. Ils avaient même élaboré ensemble un calendrier indiquant les fêtes chrétiennes, juives, musulmanes, bouddhistes et même hindouistes ! Ce n'est certes qu'un exemple, mais il prouve qu'un dialogue est tout à fait possible entre les religions : pourquoi ne pourrait-on pas créer une instance interculturelle ? Ce conseil des religions aurait pour but de réunir autour d'une même table, sous l'égide du ministre de l'Intérieur, qui est aussi ministre des Cultes, les responsables des principales religions. De telles structures existent au niveau local : c'est le cas à Bordeaux où je réunis deux fois par an le cardinal, le rabbin, le recteur de la mosquée, la responsable bouddhiste, la pasteure protestante et les responsables orthodoxes. Nous venons justement de décider l'organisation d'une nouvelle rencontre ouverte au public dont le thème sera la façon dont les différentes religions conçoivent l'autre : ce sont d'ailleurs les responsables eux-mêmes qui ont choisi ce thème.

Je le répète : le dialogue est le premier pas pour se comprendre, pour faire reculer la peur et, surtout, l'ignorance qui en est la source. J'ai la conviction que des échanges réguliers et capables d'aller au fond des choses nous permettront de surmonter les craintes que nous connaissons aujourd'hui, notamment autour de l'islam. Je peux comprendre que certaines dérives fanatiques et sectaires suscitent des inquiétudes en France. Néanmoins, j'ai bon espoir que les musulmans arrivent par eux-mêmes à construire une religion compatible avec les valeurs de notre pays. Les juifs prient pour la République française dans les synagogues. J'espère et attends que l'on fasse la même prière dans les mosquées.

NP : À la lecture d'études comme celles du sociologue Gilles Kepel, on comprend que l'emprise grandissante du religieux dans certaines banlieues s'est greffée à une question identitaire. Les jeunes qui ont contesté la minute de silence en hommage aux victimes des attentats de janvier ont exprimé une révolte à l'égard de la France et de ses institutions.

AJ : Cette réaction, qui n'a pas été majoritaire, montre l'urgence d'élaborer un contre-discours laïc pour contrecarrer la propagande djihadiste, notamment à l'aide des témoignages, par exemple, de famille de jeunes partis faire le djihad et de repentis, comme au Royaume-Uni. Il faut faire aimer la France.

Nous avons à mener un combat déterminant contre ce que les autorités musulmanes françaises ont elles-mêmes appelé « le fléau de la radicalisation ». La « dé-radicalisation » doit être menée à plusieurs niveaux : dans nos écoles où l'on ne peut admettre la contestation de certains faits historiques ; sur Internet où il faut éradiquer les sites qui font l'apologie de la violence et du terrorisme comme on l'a fait pour les sites pédophiles ; dans les prisons où il faut isoler les individus radicalisés ; et dans les lieux de prière où les propos anti-républicains ne doivent pas être tolérés.

NP : À la suite des attentats de *Charlie Hebdo*, Najat Vallaud-Belkacem a mis en place un certain nombre de mesures à destination du milieu scolaire, comme la rédaction d'une charte de la laïcité et la création de cours *ad hoc*. Mais si on enseigne la laïcité comme un catéchisme républicain, on se condamne à l'échec. C'est à travers l'histoire, la philosophie, la littérature qu'un enfant peut comprendre la définition française de la laïcité. Encore faut-il les enseigner correctement.

AJ : Il faut au moins essayer. Partir du principe qu'elles sont inefficaces reviendrait à laisser le champ libre à une propagande qui conteste jusqu'au principe même de laïcité. Or provoquer une prise de conscience nécessite d'agir ! Voilà pourquoi l'initiative à laquelle vous faites allusion ne semble pas absurde, même si elle est sans doute limitée. Pour autant, j'estime qu'outre l'histoire et la littérature, les principes de la laïcité peuvent être enseignés : dire qu'aucune religion ne peut imposer sa vision à l'ensemble de la société, que chacun doit rester dans son espace privé pour pratiquer sa religion n'est pas inutile.

Pour autant, gardons-nous de faire preuve d'intégrisme laïc, si j'ose dire. De fait, certaines personnes expriment une intolérance absolue face à la moindre manifestation religieuse. Il m'est d'ailleurs arrivé d'être vigoureusement attaqué quand j'avais autorisé les catholiques bordelais à faire le chemin de croix dans un jardin public : on m'avait alors reproché de ne pas respecter le principe de laïcité. La laïcité n'est pas un combat contre les religions. Il ne s'agit là que d'un exemple, mais il montre que les excès sont partagés. Si notre identité s'est construite autour des valeurs chrétiennes, je m'étonne qu'on puisse contester tout signe de cette histoire et de cette culture. Mais évitons de voir des signes religieux partout : faudra-t-il bientôt supprimer les sapins de Noël installés devant les mairies pour ce même motif ? Si un club senior, comme il en existe à Bordeaux, veut intaller une crèche de Noël, respectons la tradition !

NP : Le terme « intégrisme laïc » me gêne profondément. Si un intégrisme a tué en France, ce n'était pas celui des défenseurs de la laïcité... Quant aux intégristes catholiques, mis à part des manifestations (parfois violentes) et des attaques contre des œuvres d'art, ils se maîtrisent face aux blasphèmes. C'est le résultat de toute la tradition anticléricale française, qui fut une conquête farouche.

AJ : Certains gestes peuvent effectivement être ressentis comme blasphématoires par les catholiques comme par tous les croyants, et je peux comprendre que certains en soient profondément choqués. Mais, au pays de Voltaire, nous devons accepter ces transgressions comme le symbole d'une liberté d'expression que nous chérissons plus que tout.

NP : Pensez-vous qu'on ait tiré les leçons des attentats de *Charlie Hebdo* ? L'idée de droit au blasphème est-elle aujourd'hui bien comprise par les musulmans, y compris modérés ?

AJ : Ce n'est pas le cas, à mon avis. Les musulmans sont profondément choqués dans la mesure où la non-représentation du Prophète est chez eux un article de foi. Cette position pourra sans doute évoluer mais cela prendra du temps, comme ce fut le cas pour les autres religions. La modernisation de l'islam est un travail de fond qui est loin d'être gagné. De fait, ceux qui le mènent ne font pas consensus dans leur communauté. Pour autant, gardons toujours à l'esprit qu'une distinction est indispensable entre les formes radicales de l'islam, que nous devons combattre, et celles, modérées, qui pourraient faire prendre à cette religion le chemin qu'a suivi le catholicisme au cours du XIXe siècle.

NP : Vous évoquiez tout à l'heure la possibilité d'« aménagements raisonnables ». Dans un entretien avec Alain Finkielkraut paru dans *Le Figaro*, Pierre Manent estimait qu'il fallait, dans certains domaines, accepter d'en finir avec la mixité si les musulmans n'en voulaient pas. Nous n'avons pas la même évaluation de ce qui est « raisonnable ».

AJ : Rappelons d'abord que, dans les écoles, garçons et filles ont été très longtemps séparés. Ce n'est plus le cas aujourd'hui : la mixité est désormais une caractéristique de notre société, qui doit être respectée. Ainsi, je ne suis pas favorable à ce qu'on introduise des horaires séparés pour les hommes et les femmes dans les piscines. À ce moment-là, pourquoi ne pas instaurer des autobus pour les hommes et des autobus pour les femmes ? Soyons clairs : l'égalité entre les sexes sous toutes ses formes n'est pas négociable, et la mixité en est l'expression comme la conséquence.

NP : Qu'en est-il du droit privé ? On se souvient du débat autour de la crèche Babyloup qui avait licencié, au nom de la laïcité, une employée revenue voilée de son congé maternité. De fait, beaucoup d'entreprises avouent aujourd'hui ne plus savoir comment gérer l'affichage identitaire de leurs employés.

AJ : S'agissant des structures privées, et a fortiori des entreprises, permettez-moi de relever un paradoxe. Si la réalité vient du terrain et de la responsabilité des citoyens, comme on l'affirme à tout bout de champ, pourquoi demander aux politiques nationales de trancher ? Les structures privées doivent prendre leurs responsabilités – et élaborer leurs règlements intérieurs en conséquence. Dans l'affaire Babyloup, la justice a d'ailleurs confirmé le licenciement de l'employée voilée, qui ne se conformait pas au règlement intérieur de l'établissement et à la neutralité religieuse qu'il exigeait.

NP : Les incidents qui ont émaillé la minute de silence en hommage aux victimes des attentats de janvier ont montré les difficultés de nombreux professeurs, et, derrière celles-ci, le fait qu'ils ont

du mal à assumer leur rôle de fonctionnaires de la République. Comment repenser une formation adaptée ?

AJ : Cela ne semble guère compliqué sur le plan des principes. Si un enfant conteste le fait historique que lui enseigne un fonctionnaire de la République, comme la Shoah, celui-ci doit tenir bon. À condition d'être formé en ce sens et de recevoir le soutien de sa hiérarchie, bien sûr. Peut-être a-t-on trop souvent demandé à des professeurs, par le passé, de ne pas créer de problèmes sur ces questions sensibles. Quoi qu'il en soit, le rectorat doit intervenir dans de pareils cas et dire clairement que des faits historiques ne sont pas contestables au nom d'interprétations religieuses.

De la même manière, un enseignant assurant son cours d'éducation civique doit rester ferme sur l'idée que les hommes et les femmes sont égaux. Même s'il n'est pas nécessaire, à mon sens, de leur rappeler de tels principes, sans doute faudrait-il mieux les former : je préconise d'ailleurs une réforme des enseignements dispensés dans les Écoles supérieures du professorat et de l'éducation afin que les professeurs maîtrisent non seulement leur discipline mais aussi les outils pédagogiques nécessaires pour faire la classe et anticiper les situations auxquelles ils peuvent être confrontés. De même, si un élève conteste l'histoire de l'évolution de l'humanité au nom de ses convictions religieuses, l'enseignant doit lui présenter, et affirmer, la vérité scientifique.

NP : L'école a entretenu pendant des années un flou total entre le savoir et les opinions. L'article 10 de la loi sur l'orientation de l'école de 1989 explique que le lycée est un lieu où la liberté d'expression des élèves est garantie, ce qui implique une façon de mettre en avant leurs opinions, quelles qu'elles soient. C'est aussi cela qui a dévalorisé ce savoir que vous estimez indispensable pour défendre la laïcité ?

AJ : La première mission de l'école est de transmettre des savoirs. Il peut certes y avoir des débats sur certaines choses, mais pour l'essentiel, les savoirs sont fermement établis. Par ailleurs, l'enseignement scolaire a également pour vocation de former l'esprit critique des élèves, leur apprendre à distinguer le vrai du faux : le relativisme intégral n'existe pas, et l'école doit le rappeler. Il existe des valeurs universelles, comme la Déclaration universelle des droits de l'homme, la Charte des Nations unies, les idéaux de notre République, les valeurs démocratiques. Nous n'avons pas vocation à les imposer partout, mais c'est notre honneur et le cœur de notre civilisation que de les défendre partout et de les transmettre.

J'ajoute que ces valeurs sont éminemment européennes : la seule façon de redonner confiance aux Européens, les amener à avoir de nouveau un désir d'Europe, est de leur reparler des valeurs culturelles propres à notre continent, qui sont notre fierté et notre identité.

NP : Quelles sont, à votre avis, les valeurs nationales que doit transmettre la puissance publique à l'ensemble des personnes vivant en France ?

AJ : Tout d'abord, les valeurs de la République. Nous sommes dans un pays qui respecte les libertés individuelles, qui vise à l'égalité des chances entre ses citoyens et porte un principe de fraternité qui s'inscrit, par exemple, dans notre système de protection sociale : celui-ci constitue l'un des marqueurs de notre modèle national. Ensuite, la fierté de notre histoire. La France a écrit des pages majeures de l'histoire européenne, de l'Histoire tout court : souvenons-nous de notre soutien à la jeune révolution américaine ou de notre propre Révolution. Notre civilisation est l'une des plus riches du monde. Qu'il s'agisse des arts, de la littérature, de l'architecture, des sciences, la France a été la référence pendant des siècles, exerçant une influence immense, au point, par exemple, que l'Empereur de Chine considérait que Louis XIV était le seul souverain pouvant lui être comparé. En troisième lieu, la fierté de notre langue, subtile, raffinée, conceptuelle. Nous sommes notre langue.

NP : Y ajoutez-vous le droit à rire de tout, quitte à choquer ?

AJ : Bien sûr, même si je comprends que certains puissent être choqués. Je le suis d'ailleurs parfois moi-même. Cela n'en fait pas moins partie intégrante de « l'esprit français », fait de raison, de capacité à juger, à prendre du recul, ce qui n'exclut ni l'engagement ni la passion. Voilà les valeurs que je souhaiterais voir transmettre à tous ceux qui vivent en France, afin, tout simplement, qu'ils respectent, admirent, aiment la France. C'est l'appel que je lance dans l'introduction de ce livre. Je l'adresse tout spécialement à la jeunesse de France que j'exhorte souvent en ces termes : Aimez la France ! Aimez l'avenir !

Résumé des propositions

AGIR

1. Pour vaincre le terrorisme

<u>Renforcer nos capacités de renseignement</u>

Redonner toute leur place aux services du renseignement territorial. Le renseignement de proximité a été affaibli par les réformes successives alors qu'il est le plus à même de détecter les signaux faibles de la radicalisation. L'articulation du renseignement territorial avec les services spécialisés est essentielle. Il faut consolider la chaîne de détection de la menace du « signal faible » (renseignement territorial) au « signal fort » (DGSI) et créer un continuum

dans le traitement de la menace sur le territoire national et à l'étranger.

- Associer pleinement la gendarmerie nationale à la communauté du renseignement pour tirer parti de son maillage territorial.
- Développer le renseignement pénitentiaire et en faire un acteur à part entière de la communauté du renseignement.
- Renforcer la coopération européenne entre services de renseignement en créant une agence européenne de coordination du renseignement.

Créer une police pénitentiaire. En raison de la surpopulation carcérale, des droits toujours plus protecteurs des prisonniers (interdiction des fouilles...), nos prisons deviennent des lieux de radicalisation, de trafics et une « école » de la délinquance au lieu d'être des lieux de privation des libertés et de réinsertion. C'est pourquoi il est proposé de créer une police pénitentiaire. Placée sous l'autorité du ministère de la Justice, cette police pénitentiaire sera chargée d'assurer le renseignement indispensable à la lutte contre les trafics et la radicalisation des détenus ; de mener les enquêtes au sein des établissements pour faire cesser les trafics en tout genre dans les prisons ; de sécuriser les lieux de détention ; de réaliser les extractions qui sont aujourd'hui à la charge des policiers et des gendarmes pour permettre de redéployer ces derniers sur le terrain.

- Faire pression sur les fournisseurs d'accès à internet pour qu'ils fournissent les clés de déchiffrement des logiciels cryptés utilisés par les terroristes.
- Gagner en réactivité en donnant une valeur judiciaire au renseignement.

Renforcer la sécurité

- Mettre en œuvre tous les outils de l'état d'urgence : perquisitions, arrestation des Français de retour du Djihad, assignation à résidence des fichés S jugés dangereux.
- Utiliser les nouvelles technologies (biométrie, reconnaissance comportementale et faciale…) pour lutter contre le terrorisme et faire face à la massification de la menace.

- Les personnels de sécurité (5 000 policiers, 2 500 personnels de justice et 1 000 douaniers), dont le gouvernement a annoncé le recrutement, ne seront pas sur le terrain avant 2 années. Or le besoin de sécurité est immédiat. Il est proposé de faire appel aux réservistes de la police et de la gendarmerie (retraités des deux corps) pour permettre aux actifs de remplir pleinement leurs missions. À terme nous devons créer une garde nationale intégrant les réservistes de la police, de la gendarmerie et de l'armée.
- Mettre en place le fichier européen des passagers aériens (PNR).

Lutter contre la radicalisation

Les attentats du 7 janvier et du 13 novembre dernier démontrent si besoin est l'extrême radicalisation des extrémistes musulmans qui déshonorent l'islam. Il est proposé de surveiller les lieux de culte pour fermer les mosquées radicales, d'expulser les imams qui font l'apologie de la violence et de créer un délit de consultation habituelle des sites djihadistes pour mettre fin à l'endoctrinement sur Internet.

- Exiger la transparence sur les financements des lieux de culte.
- Exiger une formation civique minimum des ministres du culte.
- Prononcer davantage de déchéances de nationalité pour les binationaux auteurs d'actes terroristes.
- Diffuser un contre-discours laïc sur Internet pour lutter contre la propagande.

Défendre les frontières extérieures de l'Europe

- Assurer un véritable contrôle des frontières à l'extérieur et à l'intérieur de l'UE et négocier un nouveau traité pour remplacer Schengen.
- Créer une véritable police européenne des frontières.
- Passer des accords entre l'Europe et les pays d'origine des migrants économiques pour rendre leur réadmission effective.

2. Pour garantir la sécurité au quotidien : occuper le terrain, ne délaisser aucun territoire

- Redéployer 4 500 policiers et gendarmes sur le terrain grâce à un recrutement de personnels civils pour les tâches administratives.
- Faire largement appel aux réservistes de la police et de la gendarmerie.
- Multiplier les patrouilles sur le terrain avec des effectifs fidélisés.

Réaliser un vrai travail de simplification de la procédure pénale : les forces de l'ordre croulent sous des procédures devenues de plus en plus complexes et chronophages. La Cour des comptes estime que 60 % du temps de travail des forces de l'ordre y est consacré ! Autrement dit un policier passe un 1/3 de son temps sur le terrain ou à réaliser une enquête et les 2/3 de son temps à régler des questions de procédure pour éviter qu'un coupable ne soit relâché pour cause de procédure non conforme. Il est proposé de simplifier la procédure en pensant avant tout aux victimes et aux forces de l'ordre plutôt qu'aux suspects.

- Favoriser la participation de la population à l'information des forces de l'ordre et aux dispositifs d'alerte.
- Systématiser la saisie des avoirs des trafiquants de drogue.
- Élaborer une loi de programmation de la sécurité intérieure incluant d'importants investissements dans les nouvelles technologies.
- Rendre obligatoire, sauf motivation de jugement, le prononcé d'une interdiction de séjour d'un an des dealers dans les lieux où le deal a été constaté.
- Rétablir la loi Ciotti sur l'absentéisme scolaire et l'étendre aux parents de petits trafiquants de drogue.
- Étendre les prérogatives des polices municipales.
- Donner davantage de liberté aux services départementaux dans la gestion de leurs effectifs et les possibilités de redéploiement au sein des services.

Redéfinir la légitime défense des forces de l'ordre. Le cadre juridique actuel ne permet pas aux policiers de faire usage de la force lorsqu'ils sont directement menacés par des armes à feu. Aujourd'hui, nous sommes dans une impasse juridique : soit le policier se défend en mettant hors d'état de nuire le délinquant lourdement armé mais est immédiatement mis en cause pour s'être servi de son arme ; soit le policier respecte le droit et devient au risque de sa vie la cible de ces délinquants qui eux n'hésitent pas à tirer les premiers. Il n'est pas acceptable que les règles de la légitime défense aboutissent au décès d'un policier dans le cadre d'une intervention. Il faut donc la redéfinir pour sortir de cette impasse.

3. Pour donner à la justice les moyens de remplir sa mission

Redonner tout leur sens aux décisions des tribunaux

Supprimer les réductions automatiques de peines : Nos concitoyens ne peuvent comprendre qu'un condamné à 5 ans de prison sorte au bout de 3 ans ! Dans les jugements d'assises, les jurés en sont à calculer l'effectivité de la durée d'emprisonnement avant de prononcer la peine pour savoir combien de temps le coupable restera effectivement sous les barreaux ! Sous l'effet des aménagements quasi automatiques et systématiques des peines, les condamnés bénéficient d'une réduction de 3 mois d'emprisonnement par année de condamnation pour la première année et 2 mois ensuite (2 mois et 1 mois pour les récidivistes) à laquelle peut s'ajouter une autre réduction de peine (2 mois par an) si leur projet de réinsertion est jugé particulièrement pertinent. Il est proposé de supprimer la réduction automatique des peines qui dans la loi s'appelle un « crédit de réduction de peine »... Les victimes apprécieront !

- Revenir sur les peines de substitution qui sont prononcées pour tous les condamnés à moins de 2 ans de prison. Ils ne sont jamais incarcérés et bénéficient d'un aménagement de peine (bracelet électronique...). À titre d'exemple, l'auteur de violences conjugales et sexuelles n'ira pas en prison ! Il est proposé de baisser ce seuil à 1 an et à 6 mois pour les récidivistes.
- Rétablir les peines plancher.

Construire 10 000 places de prison pendant le quinquennat : Les prisons françaises sont surpeuplées et pourtant la France a un faible taux d'incarcération. Résultat : au lieu d'emprisonner les délinquants, nous aménageons et réduisons les peines pour limiter cette surpopulation carcérale. Nous proposons d'inverser cette logique, de rendre effectives les peines de prison prononcées en construisant 10 000 places de prison sur le quinquennat (coût : 1,6 milliard d'euros d'investissement). et ce afin de crédibiliser les décisions de justice et de lutter contre l'impunité des petits délinquants.

Redonner de la crédibilité à la justice des mineurs

- Séparer la justice civile qui accompagne le mineur de la justice pénale qui le sanctionne.
- Imposer un délai maximum entre décision du tribunal et exécution de la peine.
- Limiter à 3 le nombre de mesures éducatives prononcées à l'encontre d'un mineur.

Mieux prendre en charge les détenus

- Développer le travail en prison grâce à une agence nationale spécialisée.
- Assurer une vraie évaluation des détenus dangereux, évaluation nécessaire avant toute sortie ou aménagement de peine.

Aligner les conditions de nomination des magistrats du Parquet sur celles des juges

4. Pour maîtriser l'immigration

Encadrer l'immigration légale

Toute nation a le droit, pour ne pas dire le devoir, de décider qui peut, ou non, entrer sur son territoire. Or l'immigration légale française est incontrôlée et surtout non décidée. En 2014, 222 000 immigrés sont entrés légalement sur notre territoire dont 30 % d'étudiants, 45 % au titre du regroupement familial et 9 % pour travailler. Il est proposé de faire voter chaque année par le Parlement un plafond d'immigration, une répartition par type d'immigration (% étudiant, % travail et % regroupement familial) et la mise en place d'un système par point qui permette de déterminer le profil des étrangers dont nos universités, ou notre économie, ont besoin.

Concernant le regroupement familial, dont il faut diminuer le nombre, il est proposé de le conditionner à l'exercice d'un emploi. Les étrangers qui vivent des revenus d'assistance ou de remplacement (allocation chômage) n'ont pas les moyens de subvenir aux besoins de leur famille. Ils ne pourront plus bénéficier du regroupement familial.

Lutter contre le détournement du droit d'asile et l'immigration clandestine

- Autoriser le placement des familles en rétention administrative en supprimant la « circulaire Valls ».
- Renégocier le traité du Touquet.

La France doit répondre à une double exigence : défendre une tradition d'accueil des réfugiés politique et de guerre tout en luttant contre le détournement économique du droit d'asile. La durée d'examen des demandes d'asile est trop importante, 24 mois contre 9 mois en Allemagne. Par ailleurs les reconductions des déboutés sont quasi inexistantes. Il est proposé de donner une valeur législative à la liste des pays sûrs et délimiter à une quinzaine de jours l'examen de ces dossiers ; de réduire à six mois les délais de traitement global des autres dossiers en augmentant massivement les moyens de l'OFPRA et de la CNDA.

- Conditionner l'acquisition de la nationalité française pour les enfants nés en France (Droit du sol) à la régularité du séjour d'au moins un des deux parents au moment de la naissance.

Réformer l'Aide médicale d'État en la limitant aux cas d'urgence.

5. Pour faire respecter la laïcité

La laïcité n'est pas et ne doit pas être un combat contre les religions. L'État garantit à ses citoyens la liberté de choisir et de pratiquer leur religion ou de n'en choisir aucune. En retour les religions doivent respecter la séparation de l'ordre temporel et de l'ordre spirituel ainsi que les lois et les valeurs de la République. La radicalisation de formes sectaires et fanatiques de l'islam met en danger la laïcité républicaine. Elle doit être combattue avec énergie. L'émergence d'un islam radical, qui veut imposer ses règles à la République, met à mal notre conception de la laïcité. Pour renforcer notre arsenal législatif, il est proposé de créer un code de la laïcité reprenant l'ensemble des règles à respecter et de créer un délit d'entrave à la laïcité dans les services publics pour sanctionner son non-respect, ce qui permettra aux usagers du service public de voir leur droit au respect de la laïcité dans le service public respecté et aux agents du service public de se concentrer sur la réalisation de leurs missions et de ne plus être gênés par les troubles occasionnés par des demandes déraisonnables de prise en compte du religieux dans les services publics.

• Créer un conseil national des cultes pour favoriser le dialogue entre les différentes religions et l'État.

La République doit définir en accord avec les autorités représentatives des Français musulmans les règles relatives au recrutement des imams, à leur formation civique, à l'utilisation de la langue française pour les prêches et à la transparence du financement des lieux de culte.

Annexe 1
Bilan de l'évolution de la délinquance depuis 2012

1. Les atteintes à l'intégrité physique – Crimes et délits

(en nombre)		2012	2013	2014	Évolution 2014/2012
Zone Police	Violences physiques crapuleuses	116759	118266	107948	**– 7,5 %**
	Violences physiques non crapuleuses et violences sexuelles	199487	201714	211403	**+ 6,0 %**
Zone Gendarmerie	Violences physiques crapuleuses	12739	13151	13251	**+ 4,0 %**
	Violences physiques non crapuleuses et violences sexuelles	92542	101580	108314	**+ 17,0 %**

Ensemble du territoire	Violences physiques crapuleuses	129 498	131 417	121 199	**– 6,4 %**
	Violences physiques non crapuleuses et violences sexuelles	292 029	303 294	319 717	**+ 9,5 %**

Source : projet de loi de finances pour 2016 – Mission « Sécurités » et projet de loi de finances pour 2014 – Mission « Sécurité »

- **Le nombre des crimes et délits constatés en matière de violences physiques non crapuleuses et de violences sexuelles a augmenté de + 9,5 %.**

Cela représente 27 688 crimes et délits supplémentaires entre 2012 et 2014. Dans les zones rurales et péri-urbaines (couvertes par la gendarmerie), ce nombre a même atteint + 17 %.

- **Le nombre des violences physiques crapuleuses enregistre un recul de – 6,4 %.**

Si les crimes et délits ont baissé de 7,5 % en milieu urbain (zone police), ils ont progressé de + 4 % en milieu rural et péri-urbain.

- **Une montée de l'insécurité dans les zones rurales et péri-urbaines tant des violences physiques non crapuleuses (+ 4 %) que crapuleuses et sexuelles (+ 17 %).**

Il convient de rappeler que la zone gendarmerie couvre 95 % de la superficie du territoire national. Ainsi cette dégradation se répercute sur une zone d'impact très étendue avec un effet en chaîne préjudiciable sur la confiance d'ensemble des citoyens.

2. Les atteintes aux biens – Crimes et délits

(en nombre)		2012	2013	2014	Évolution 2014/2012
Zone Police	Atteintes aux biens (vols à main armée, vols avec violence, vols à l'étalage…)	1 537 831	1 579 346	1 563 782	**+ 1,7 %**
	Dont cambriolages	*206 739*	*221 296*	*223 607*	***+ 8,1 %***
Zone Gendarmerie	Atteintes aux biens (vols à main armée, vols avec violence, vols à l'étalage…)	693 631	720 342	728 350	**+ 5,0 %**
	Dont cambriolages	*160 698*	*168 256*	*159 704*	***– 0,6 %***
Ensemble du territoire	Atteintes aux biens (vols à main armée, vols avec violence, vols à l'étalage…)	2 231 462	2 299 688	2 292 132	**+ 2,7 %**
	Dont cambriolages	*367 437*	*389 552*	*383 311*	***+ 4,3 %***

Source : projet de loi de finances pour 2016 – Mission « Sécurités » et projet de loi de finances pour 2014 – Mission « Sécurité »

- **Sur la période 2012-2014, les atteintes aux biens ont augmenté de 2,7 %.** Les zones rurales et péri-urbaines ont été particulièrement concernées avec une augmentation de + 5 % (contre + 1,7 % en milieu urbain).

Parmi les faits constatés, le nombre des cambriolages a augmenté de + 8,1 % en zone police (contre un très léger recul de – 0,6 % en zone gendarmerie) pour atteindre + 4,3 % au niveau national.

Concernant les cambriolages en zone gendarmerie, leur très léger recul (– 0,6 % entre 2012 et 2014) demandera à être confirmé en 2015. En effet, en 2013 leur nombre avait connu une nette hausse : + 4,7 %.

Annexe 2
Moyens et efficacité de la Justice en France

1. Les moyens de la justice

- Le budget global de la justice en France pour 2015 représente près de 8 milliards d'euros.
  Les effectifs représentent environ 80 000 emplois (équivalents temps plein travaillé). Ils ont augmenté de 600 en 2015.

- La France consacre chaque année 61,2 € par habitant pour son système judiciaire.
  Par rapport aux pays dont le PIB par habitant est comparable, la France consacre un budget inférieur à celui de la Finlande (66,8 €) et du Danemark (75,2 €) et très inférieur à l'Allemagne (114,3 €) ou aux Pays-Bas (125,4 €).

- L'ordre judiciaire (hors juridictions administratives) comprend 836 juridictions du premier degré, 36 cours d'appel et une Cour de cassation représentant un budget d'environ 3,1 milliards d'euros.
  L'ordre judiciaire représente 45 % du budget total de la justice. 30 000 emplois y sont affectés, dont près de 10 000 magistrats.

- Comme d'autres pays européens, la France a procédé à une rationalisation de la carte judiciaire.
  Menée entre 2008 et 2011, cette réforme a conduit à la suppression de 341 juridictions et a permis de réimplanter, à compter du 1er septembre 2014, des tribunaux de grande instance dans les villes de Saint-Gaudens, Saumur et Tulle, et de créer des chambres détachées à Dôle, Guingamp, Marmande et, à compter du 1er janvier 2015, à Millau.
  Le nombre d'« implantations géographiques » en France (chaque implantation pouvant rassembler un nombre plus ou moins élevé de tribunaux) s'élevait à 640 en 2012, contre 564 au Royaume-Uni, 1 108 en Allemagne, et 1 378 en Italie.

Annexe 2

Variation du nombre de tribunaux par implantation géographique entre 2008 et 2012

	Ensemble des tribunaux (implantations géographiques)			
États	***2008***	***2010***	***2012***	***Variation***
Danemark	30	29	29	– 3,33 %
Finlande	131	82	82	37,40 %
France	900	630	640	– 28,89 %
Allemagne	NA	1 126	1 108	NC
Grèce	435	462	402	– 7,59 %
Irlande	130	119	105	– 19,23 %
Italie	1 378	1 378	1 378	0 %
Pays-Bas	64	64	60	– 6,25 %
Portugal	336	336	318	– 5,36 %
Espagne	743	749	763	2,69 %
Suède	134	95	95	– 29,10 %
Royaume-Uni	649	695	564	– 13,09 %

Source : Rapport CEPEJ 2014.

- Le budget de l'administration pénitentiaire pour 2015 s'élève à 3,2 milliards d'euros.

  Le budget de l'administration pénitentiaire pour 2015 s'élève à environ 3,2 milliards d'euros. Les personnels pénitentiaires sont un peu plus de 35 000. L'administration pénitentiaire dispose de 188 établissements pénitentiaires et de 103 services pénitentiaires d'insertion et de probation (SPIP).

Au 1er janvier 2015, l'administration pénitentiaire avait la charge de près de 250 000 personnes : 172 000 en milieu ouvert, et 78 000 « sous écrou », dont 66 000 sont effectivement détenues.

- La France se caractérise par un taux de détention inférieur à la moyenne de l'Union européenne

Taux de détention dans l'Union européenne et aux États-Unis pour 100 000 habitants :

Pays	Taux de détention	Pays	Taux de détention
États-Unis	716	**Belgique**	108
Pologne	217	**Italie**	106
Hongrie	186	**France**	98
Rép. Tchèque	154	**Autriche**	98
RU (Angleterre + Galles)	148	**Pays-Bas**	82
Espagne	147	**Irlande**	79
Roumanie	144	**Allemagne**	79
Portugal	136	**Danemark**	73
Luxembourg	122	**Suède**	67
Grèce	111	**Finlande**	58

Source : World Prison Brief, Institute for Criminal Policy Research ; University of London.

Annexe 2

- La France se caractérise par une surpopulation carcérale
  À la fin de l'année 2014, le nombre de détenus en surnombre en France s'établissait à 12 164, soit un taux d'occupation réel de 122 % (CNRS). Le taux d'occupation des places en maisons d'arrêt en 2015 est de 135 %, contre 131 % en 2012, et le nombre total de détenus par cellule reste à un niveau élevé à 1,31. La proportion de personnes placées sous écrou et condamnées bénéficiant d'un aménagement de peine est passée de 20 % en 2012 à 23 % en 2015.

- Le budget de la protection judiciaire de la jeunesse s'élève à 780 millions d'euros
  Les personnels de la protection judiciaire de la jeunesse sont environ 8 500.
  La protection judiciaire de la jeunesse dispose de 220 établissements aux statuts variés : établissements de placement éducatif, centres éducatifs renforcés, centres éducatifs fermés, etc.
  En 2013, 138 500 jeunes ont été suivis : près de 10 000 mesures de placement ont été effectuées, et 110 000 jeunes ont été suivis en milieu ouvert. Le nombre de mineurs incarcérés s'établit en moyenne à 730.

- Le ministère de la Justice consacre près de 360 millions d'euros à l'accès au droit et à la justice (aide juridictionnelle, conseils départementaux de l'accès au droit et maisons de la justice et du droit).

2. L'efficacité de la Justice

- La durée moyenne de traitement d'une affaire non pénale pendante en France est de 245 jours, soit une durée quasiment identique à la moyenne des pays analysés (247 jours)

	Délai moyen de traitement (en nombre de jours)	
Type d'affaire	*Non pénal*	*Pénal*
Autriche	54	115
Danemark	17	37
Finlande	102	114
France	275	NC
Allemagne	467	104
Italie	391	370
Pays-Bas	84	99
Portugal	860	276
Suède	149	123

Source : Rapport CEPEJ 2014, tableaux 9.2 p. 207 et 9.16 p. 231.

Pour la France, le stock d'affaires pendantes est globalement stable, qu'il s'agisse de procédure civile, administrative ou pénale.

- Le taux de récidive au sens large en France est de 42 %, un niveau légèrement inférieur à certains de nos voisins européens.
  Au cours de l'année 2010, 11 % des condamnés étaient en situation de récidive légale, mais 42 % des condamnés avaient déjà été condamnés au cours des 8 années précédentes.
  À titre de comparaison, en Allemagne, le taux de recondamnation dans les trois ans suivant la condamnation initiale ou la libération en fin de peine pour la période 2004-2007 était de 43,7 %. Aux Pays-Bas, 48,5 % des majeurs libérés en 2008 ont eu à nouveau affaire à la justice dans les deux ans.

Annexe 3
L'immigration légale

Les politiques d'immigration légale recouvrent pour l'essentiel deux aspects : une politique tendant au contrôle des flux (et permettant de séparer l'immigration légale de l'immigration illégale), et une politique tendant à l'intégration des immigrés légaux permanents.

Il convient de distinguer l'immigration légale (entre immigration permanente : de travail, familiale, humanitaire, au titre de la libre circulation, ou pour d'autres motifs ; temporaire ; demandeurs d'asile ; naturalisations) de l'immigration illégale.

1. Les flux d'immigration permanente sont en légère augmentation dans les pays développés et sont pour l'essentiel d'ordre familial

- Les flux d'immigration permanente dans l'OCDE ont concerné quatre millions de personnes en 2013, soit une hausse de 1,1 % par rapport à 2012. Les flux migratoires temporaires (études, tourisme notamment) représentent la moitié des flux migratoires permanents, soit environ deux millions de personnes, en baisse de 25 % par rapport au pic enregistré en 2007.

- La majeure partie de cette hausse est due aux personnes se déplaçant à l'intérieur de l'Union européenne, au titre de la libre circulation des personnes.

- Ces flux d'immigration permanente sont, pour l'essentiel, des flux d'immigration familiale, et non des flux d'immigration de travail.

- Les flux vers l'Europe ne sont pas supérieurs aux flux vers les États-Unis. En effet, l'OCDE note que l'immigration permanente légale de pays tiers vers l'Europe a été inférieure à celle enregistrée vers les États-Unis « *pour la première fois en 2012* ».

Annexe 3

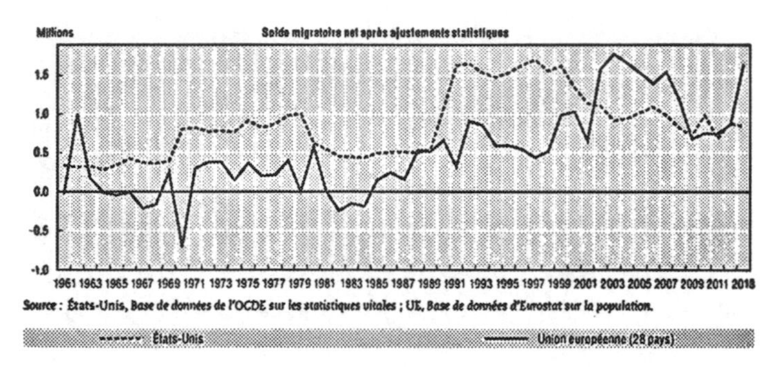

- Les flux d'immigration légale sont plus faibles en France en comparaison d'autres pays de l'OCDE
En 2012, la France enregistrait 2,6 entrées d'étrangers pour 1 000 habitants. Ce chiffre était de 11,8 entrées pour 1 000 habitants en Allemagne, 5,4 en Italie, 3,3 aux États-Unis, 7,4 au Canada et 10,7 en Australie. Le Royaume-Uni, en dehors de l'espace Schengen, comptait 6 entrées d'étrangers pour 1 000 habitants en 2012. Ces chiffres rendent compte des entrées « brutes », non corrigées des sorties.

- Le nombre d'étrangers présents en France est stable et inférieur à la moyenne de l'OCDE
Ce nombre n'a quasiment pas évolué en France entre 2000 et 2013 et reste inférieur à la moyenne de l'OCDE, alors que l'Allemagne et les États-Unis se situent au-dessus de cette moyenne, comme l'indique le graphique ci-dessous.

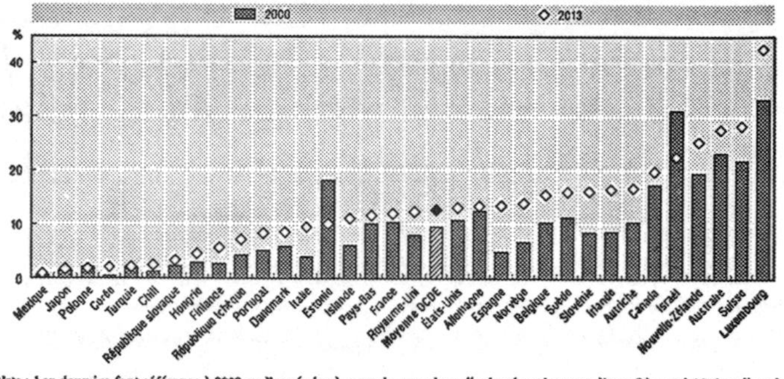

Note : Les données font référence à 2000 ou l'année la plus proche pour laquelle des données sont disponibles et à 2013 ou l'année disponible la plus récente.
Source : Base de données de l'OCDE sur les migrations internationales.

Population née à l'étranger, exprimée en pourcentage de la population totale, 2000 et 2013

2. Face à ces flux, un tour d'horizon des politiques d'immigration légale menées dans quelques pays de l'OCDE révèle la variété de leurs objectifs et la nécessité d'en faire un levier de compétitivité

- L'origine de l'immigration permanente présente une grande hétérogénéité au sein de l'OCDE.

La France a compté 163 000 entrées en 2012. Par rapport à d'autres pays développés, la France connaît une part relativement importante de l'immigration familiale, qui concernait, en 2012, 38 % des entrées d'étrangers, contre 37 % au titre de la libre circulation dans l'Union européenne. L'immigration de travail concernait 12 % des entrées. L'origine des flux reflète la persistance des liens historiques avec certains pays : les principales nationalités représentées sont l'Algérie (15 % des flux en 2012), le Maroc (12 % des flux), et la Tunisie (7 %). Ainsi, aucune des dix principales nationalités représentées entrées ne concerne un pays de l'Union européenne : la Chine, la Turquie, le Sénégal, le Mali, le Cameroun et la Russie représentent chacun 2 à 5 % des 163 000 entrées enregistrées en 2012. Par ailleurs, le nombre de naturalisations en 2012 était de 96 000, et celui des demandeurs d'asile de 56 000.

L'Allemagne accueille, par comparaison avec la France, un nombre plus important d'immigrés mais d'une origine très différente. Le nombre d'entrées a connu une forte augmentation : en valeur absolue, les flux entrants atteignaient 965 000 personnes. Au total, l'Office fédéral allemand de la statistique dénombre 16 millions de personnes (20 % de la population totale) issues de l'immigration. Les principales nationalités des migrants entrant en Allemagne sont la Pologne (20 % des entrées) et la Roumanie (13 %), suivies par la Bulgarie et la Hongrie (7 %).

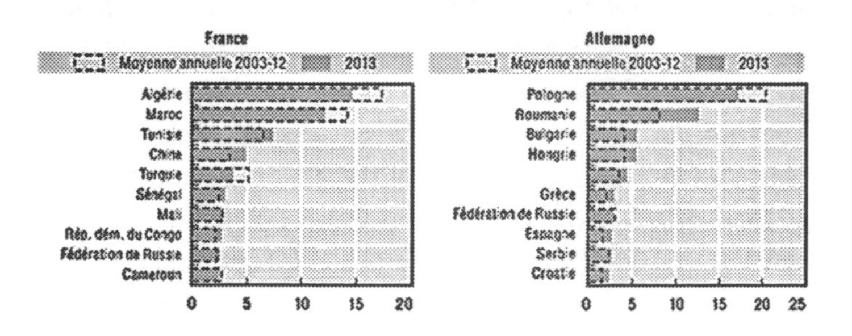

Le nombre d'immigrés légaux admis annuellement aux États-Unis tourne autour du million. L'immigration familiale représente une part écrasante du total de l'immigration légale, à hauteur de 73 %, suivie par l'immigration pour motif humanitaire (14 %) puis de travail (6 %). Le Mexique est la principale nationalité représentée parmi les entrées (environ 15 % du total en 2012) suivi de la Chine (8 %) et de l'Inde (6 %). Le nombre de résidents en situation irrégulière était estimé à 11,5 millions en 2011, dont 59 % originaires du Mexique.

Le Canada a admis 257 000 résidents permanents en 2012, au travers d'objectifs annuels. Ces objectifs annuels sont déclinés selon le motif de l'immigration : 62 % des migrants admis l'étaient pour des raisons économiques directes (raisons de travail) ou indirectes (accompagnement d'un conjoint, et personnes à charge). Le Canada se distingue par la part des immigrés qualifiés : en 2012, 42 % des résidents permanents admis en âge de travailler étaient diplômés du supérieur. Le nombre de naturalisations était de 113 000 en 2012, et le nombre de demandeurs d'asile de 20 000. L'origine des flux est majoritairement asiatique : la France représente 4 % des entrées. Depuis 1967, le Canada a mis en œuvre un système d'immigration par points (*point-based*). Plus récemment, les changements concernent les migrants très qualifiés (avec le dispositif « entrée express » à partir de janvier 2015), le Canada recourt à des études d'impact sur le marché du travail (EIMT) pour déterminer le nombre de travailleurs étrangers temporaires dans les emplois à bas salaire.

Annexe 4
L'intégration des immigrés

- Si les modèles d'intégration des immigrés plus « communautaristes » peuvent parfois se targuer de meilleurs résultats socio-économiques, qui semblent du reste moins liés à ce modèle qu'aux caractéristiques de leurs économies et de leurs populations immigrées, ils ne semblent pas favoriser un sentiment d'appartenance plus fort au pays d'accueil.
- Ceci explique que le modèle communautariste soit de plus en plus largement remis en cause, y compris dans les pays qui en étaient des symboles (Allemagne, Royaume-Uni).
- Quels que soient les faiblesses et les échecs du modèle français d'intégration le remède n'est pas dans l'adoption d'un modèle multiculturaliste mais dans la refonte globale du marché du travail et du système éducatif, puissants vecteurs d'intégration.

1. Marqué par la laïcité et l'hostilité à la reconnaissance des communautés, le modèle français apparaît comme une exception en Occident

L'« exception française » joue en matière de politique d'intégration des immigrés : parce que la nation y a été forgée par l'État, souvent contre les particularismes régionaux, et parce que la France s'est toujours revendiquée de valeurs universelles, le modèle français n'est pas favorable à la reconnaissance de structures d'appartenance intermédiaires entre l'individu et la nation.

Cette singularité du modèle d'intégration français a été renforcée par une autre spécificité, qui n'avait pas à l'origine partie liée à l'immigration : la laïcité, stricte séparation de l'Église et de l'État qui découle d'un siècle de tensions entre l'Église catholique et la République, a renforcé le caractère unitaire du modèle. Cette double spécificité française, qui tend à restreindre l'expression des singularités ethno-religieuses, n'a pas son équivalent dans l'OCDE.

Ainsi, les lois sur les signes religieux ostensibles (à l'école primaire et secondaire, voile intégral dans l'espace public) n'ont-elles pas d'équivalent en Europe, et la neutralité du service public vis-à-vis de la religion n'y est pas la règle : au Royaume-Uni, une fonctionnaire peut porter le voile (ou la kippa, ou le turban sikh) et, un réseau de tribunaux de la *charia* règle des différends commerciaux et familiaux dans les communautés musulmanes.

2. L'intégration économique et sociale des immigrés situe la France dans la moyenne, ses contre-performances vis-à-vis des pays anglo-saxons s'expliquant moins par le modèle d'intégration que par les structures de l'économie et les qualifications des immigrés

La différence d'accès au marché du travail entre immigrés et autochtones en France, qu'on la mesure par le taux d'emploi ou par le taux de chômage, est supérieure à celle qui prévaut dans les pays anglo-saxons, mais inférieure à celle des pays scandinaves et du Benelux :

Caractéristiques des populations immigrées et autochtones sur le marché du travail dans certains pays de l'OCDE, 2007-2008

Pays	% de la population née à l'étranger	Taux d'emploi			Taux de chômage		
		Nés à l'étranger (NE)	Nés dans le pays de résidence (NR)	(NR-NE) points de %	Nés à l'étranger (NE)	Nés dans le pays de résidence (NR)	Ratio NE/NR
Allemagne	14,5	61,2	70,8	*9,6*	14,2	7,9	*1,8*
Australie	27,7	67,6	74,9	*7,3*	4,8	4,1	*1,2*
Autriche	17,6	66,4	74,1	*7,7*	7,8	3,5	*2,3*
Belgique	11,4	51,5	63,8	*12,3*	16,1	6,5	*2,5*
Canada	21,7	70,8	73,1	*2,3*	7	6,4	*1,1*
Espagne	16,1	68	65,5	*– 2,5*	14,2	8,9	*1,6*
États-Unis	16,2	70,4	69,6	*– 0,8*	5,1	5,1	*1*
France	**11,7**	**59,5**	**66,3**	***6,8***	**12,7**	**6,8**	***1,9***
Pays-Bas	13	67,1	78,5	*11,4*	5,2	2,3	*2,3*
Royaume-Uni	13,2	67,8	72,3	*4,5*	7,1	5,6	*1,3*
Suède	15,1	65,2	77,7	*12,5*	11,5	4,6	*2,5*

Source : Enquête de l'Union européenne sur les forces de travail, 2007-2008

Annexe 4

Les performances de la France sont également moyennes pour cet autre grand indicateur du degré d'intégration que sont les performances scolaires

Écart de performance de lecture entre élèves issus de l'immigration et autochtones dans certains pays de l'OCDE

Pays	**Différentiel de niveau entre autochtones et immigrants**	**Différentiel de niveau entre autochtones et immigrants, abstraction faite des différences socio-économiques**
Allemagne	56	27
Australie	– 19	– 11
Autriche	67	37
Belgique	68	41
Canada	7	3
Espagne	56	44
États-Unis	22	– 9
France	**61**	**30**
Norvège	52	33
Pays-Bas	46	14
Royaume-Uni	23	14
Suède	66	40
Moyenne OCDE	*43*	*27*

Source : OCDE, 2009.

Toutefois, dans la mesure où le facteur le plus fortement corrélé à la réussite scolaire est le niveau d'éducation des parents, on ne peut faire l'économie d'une analyse du niveau d'éducation des immigrés selon les pays :

18 % des immigrés en France sont diplômés de l'enseignement supérieur, contre 23 % en moyenne dans l'OCDE, 35 % au Royaume-Uni et 38 % au Canada. Les immigrés hautement qualifiés issus de pays de l'OCDE ne sont que 5 % à aller en France, contre 12 % au Canada et 13 % en Australie, des pays pourtant deux fois moins peuplés que le nôtre.

Ceci explique pour une large part :

- les performances moyennes de la France en matière d'intégration socio-économique ;
- que l'apport de l'immigration à l'économie française soit moindre que pour la majorité de nos grands partenaires, et même légèrement négatif. Une étude de l'OCDE de 2013, *L'impact fiscal de l'immigration dans les pays de l'OCDE* chiffrait à 0,5 point de PIB le coût pour la France de l'immigration, alors qu'il est en moyenne positif à hauteur de 0,3 point dans l'OCDE.

Ces données plaident pour une politique d'immigration plus sélective (« immigration choisie »), inspirée du modèle canadien, mais également par une réduction du nombre d'immigrants au titre du regroupement familial. D'autres pays ont mis en œuvre une telle politique : ainsi, aux Pays-Bas, des taxes élevées doivent être acquittées pour l'introduction d'un conjoint (850 €), et un examen d'entrée dit « Civic integration examination abroad », pour lequel il faut payer 350 € pour se présenter, a été créé en 2006. Au Danemark, des restrictions portant sur l'âge des conjoints et assurant que ceux-ci ne soient pas à la charge de l'État danois ont été mises en place.

3. Le modèle français demeure plus efficace pour favoriser le sentiment d'appartenance à la nation, même s'il n'empêche pas une radicalisation préoccupante

Le modèle français semble plus apte à susciter un fort sentiment d'appartenance : une enquête menée en 2006 par le Pew Global Center auprès des seuls musulmans européens montrait que si 46 % des musulmans français se déclaraient « d'abord musulmans », ce taux était de 66 % pour les Allemands, et de 81 % pour les Britanniques. A contrario, 42 % des musulmans français se déclaraient « d'abord Français », contre seulement 13 % des Allemands et 7 % des Britanniques. 78 % des musulmans français s'y déclaraient par ailleurs favorables à « l'adoption de la culture nationale », contre seulement 41 % des Britanniques et 30 % des Allemands.

Le choix d'un modèle plus communautaire tendrait à favoriser le repli et le rejet des valeurs de la société d'accueil : ainsi, dans cette même enquête du Pew Center, 47 % des musulmans britanniques se disaient convaincus de l'incompatibilité entre la pratique de l'islam et la vie dans une société occidentale, contre 36 % en Allemagne et 28 % en France – alors même que le RU a mis en place des aménagements bien plus conséquents (horaires aménagés, pratiques hospitalières, etc.) pour faciliter la pratique musulmane.

- Notre politique d'intégration n'a pas préservé la France d'une progression problématique du radicalisme musulman qui n'est pas circonscrite à notre pays

Une étude du *think tank* britannique Policy exchange montre que 40 % des jeunes musulmans britanniques souhaiteraient vivre sous la *charia*. Si la France est bien le premier pays d'origine des djihadistes européens, le nombre de djihadistes français, rapporté à la population musulmane, place le pays dans la moyenne européenne, au-dessus du RU et surtout de l'Allemagne, mais en dessous des pays scandinaves et des pays du Benelux :

Annexe 5
L’asile et la crise migratoire

1. Un triplement du nombre de demandes d’asile entre 2012 et 2015

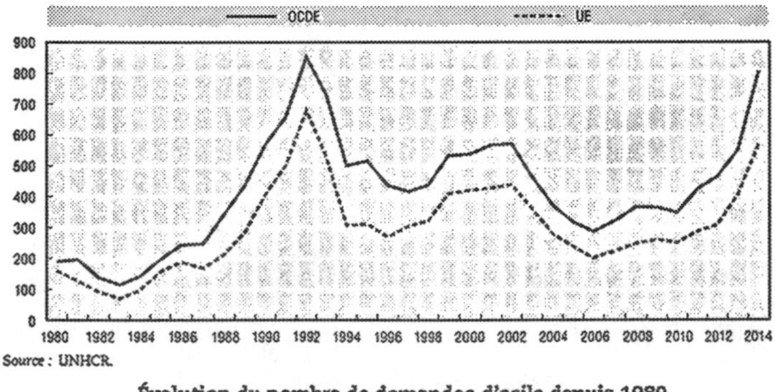

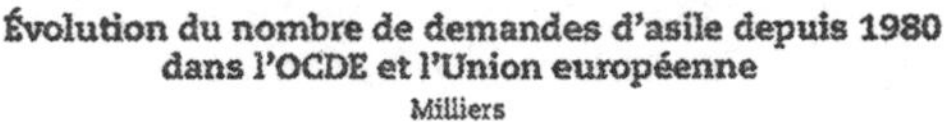
Évolution du nombre de demandes d’asile depuis 1980 dans l’OCDE et l’Union européenne
Milliers

Selon son dernier rapport, Frontex a détecté sur les 7 premiers mois de 2015 340 000 entrées irrégulières en Europe, contre 123 500 sur la même période en 2014. Parmi eux, 293 000 migrants et réfugiés ont tenté d'arriver en Europe en passant par la Méditerranée, et 2 440 ont péri lors de ce voyage (HCR).

Si ces chiffres paraissent très significatifs, ils doivent être mis en perspective avec la situation particulièrement délicate des pays de transit. Ainsi le Liban a accueilli 1,1 M de Syriens soit un quart de sa population et la Turquie 1,7 M. Rapporté au nombre d'Européens, cela représente un demandeur d'asile pour 1 900 Européens.

2. Une crise migratoire majeure aux origines politiques mais également économiques

Le flux de migrants doit être décomposé selon deux motifs migratoires :

- les réfugiés fuyant la guerre en Syrie, Afghanistan, Érythrée, Irak, ou Somalie
- les migrants économiques en provenance d'Afrique sub-saharienne mais aussi de la Serbie, l'Albanie ou du Kosovo.

Faute de financement des camps d'accueil de réfugiés syriens (l'appel de fonds de l'ONU en faveur des réfugiés syriens n'est financé qu'à hauteur de 41 %) et de capacité de travail sur place, une partie des quatre millions de Syriens réfugiés dans les pays voisins migrent désormais vers l'UE.

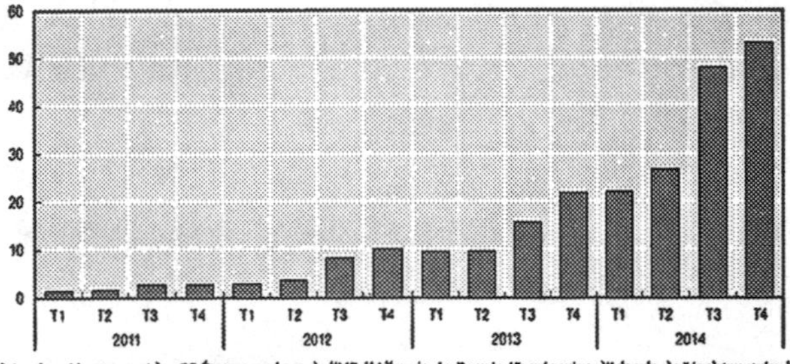

Note : Les 44 pays sont les 28 États membres de l'UE, l'Albanie, La Bosnie-Herzégovine, l'Islande, le Liechtenstein, le Monténégro, Norvège, Serbie (et Kosovo), Suisse, l'Ancienne République yougoslave de Macédoine (ARYM), la Turquie, l'Australie, le Canada, le Japon, la Nouvelle-Zélande, la Corée et les États-Unis. Ce groupe a reçu environ 865 000 demandes d'asile en 2014.
Source : UNHCR.

Nouvelles demandes d'asile de Syriens
dans 44 pays industrialisés, par trimestre, 2011-14
Milliers

3. Parmi les trois routes empruntées par les migrants, la route des Balkans représente le tiers des flux

Une fois entrés sur le territoire de l'UE, les migrants cherchent principalement à rejoindre l'Europe du Nord et le Royaume-Uni. Plus d'un tiers des migrants ont emprunté la route des Balkans au premier semestre 2015. Parmi eux, plus de la moitié des migrants repérés aux frontières de l'UE étaient ressortissants des Balkans.

4. En valeur absolue, l'Allemagne est le pays qui a accueilli le plus de demandeurs d'asiles soit 800 000 en 2015

En 2014, alors que les demandes d'asile au sein de l'Union européenne augmentaient de 44 %, qu'en

Allemagne elles connaissaient un bond de 60 % et en Suède de 50 %, la France, elle, enregistrait une baisse de 5 %, selon l'agence Eurostat.

Troisième plus grand pays d'accueil de demandeurs d'asile en 2013, la France est désormais classée 6e.

5. La diversité des conditions d'accueil et des situations économiques nationales explique la forte concentration des flux vers quelques États-membres

Par une directive de 2003, les États membres se sont engagés à respecter des normes d'accueil, en assurant notamment des « *conditions matérielles d'accueil qui permettent de garantir un niveau de vie adéquat pour la santé et d'assurer la subsistance des demandeurs* ». L'accès aux soins et au système éducatif pour les enfants est garanti, le temps que la demande d'asile soit examinée. Chaque pays conserve une marge de liberté : les allocations vont de 25 € en Hongrie jusqu'à 346 € par mois en Allemagne. En France, les allocations varient selon le lieu d'hébergement et la situation familiale. L'allocation d'attente (ATA) versée aux migrants ne résidant pas dans un centre d'hébergement atteint 340,50 € par mois. L'accès au marché du travail allemand est plus facile qu'ailleurs, alors que la France n'autorise les demandeurs d'asile à travailler qu'au bout de 9 mois.

Les taux de réponse positive aux demandes d'asile varient considérablement d'un pays à l'autre. En 2014, la Hongrie a refusé un tiers des demandes d'asile déposées par des Syriens. La Slovaquie est allée jusqu'à refuser 20 des 35 demandes de Syriens. À l'opposé, la Suède a donné une issue positive à presque 100 % des Syriens, devant la France (95,5 %) ou l'Allemagne (93,6 %).

CET OUVRAGE A ÉTÉ COMPOSÉ PAR PCA
POUR LE COMPTE DES ÉDITIONS J.-C. LATTÈS
17, RUE JACOB – 75006 PARIS
ET ACHEVÉ D'IMPRIMER EN FRANCE
PAR CPI BUSSIÈRE
EN JANVIER 2016

www.versunnouveaumonde.fr

N° d'édition : 07. – N° d'impression : 2020856
Dépôt légal : Janvier 2016
Imprimé en France